Chère Lectrice,

Il existe dans la vie des moments extraordinaires de hasard et de chance.
Dans les romans de la Série Coup de foudre, vous découvrirez le destin étonnant de héros modernes, emportés dans une aventure passionnante, pleine d'action, d'émotion et de sensualité.
Duo connaît bien l'amour. La série Coup de foudre vous séduira.

Coup de foudre : le rêve vécu,
quatre nouveautés par mois.

La baie de Chesapeake

Série Coup de foudre

STEPHANIE RICHARDS

Une nuit dans l'île

Les livres que votre cœur attend

Titre original : *Chesapeake autumn* (5)
© 1983, Stephanie Richards
Originally published by
THE NEW AMERICAN LIBRARY,
New York

Traduction française de : Claude Caroubier
© 1985, Éditions J'ai Lu
27, rue Cassette, 75006 Paris

Chapitre 1

LIZ ORIENTA LE *JESSY BESS* CONTRE LE VENT ET VIRA de bord, mettant le cap vers sa demeure au fond de la crique. Une chaude brise d'été avait gonflé les voiles toute la journée, mais maintenant le soleil se couchait derrière la falaise dans un flamboiement rouge et or, et Liz sentait approcher l'automne. Dans quelques semaines, l'air deviendrait plus vif et le ciel s'emplirait de centaines de milliers d'oies sauvages venues du Canada, à la recherche de climats plus doux pour passer l'hiver. Liz s'abandonnait à la sérénité du tableau qui s'offrait à ses yeux. Puis elle cingla vers le goulet qui pénétrait la côte comme une cachette secrète.

Malgré la splendeur de cette journée, les pensées de Liz allaient vers Andy, son fils. Epuisée, elle s'était accordé ce répit loin de l'enfant alité, mais se reprochait maintenant ce jour complet de liberté, alors qu'il était cloué au lit par la maladie, avec la seule compagnie de Craig. Liz savait combien Andy aimait faire du voilier avec elle. Bien qu'il eût seulement trois ans, il se révélait déjà, par ce goût prononcé, un vrai Mallory. Liz repoussa la pensée qu'il pouvait ressembler en quoi que ce soit à son père. Depuis longtemps elle refoulait ce genre de réflexion. Elle ne voulait pas revenir sur un passé irrémédiable, mais au contraire consacrer toute son énergie à édifier leur vie à tous deux, Andy et elle.

Liz reconnut que la baie de Chesapeake était pour beaucoup dans cette joie de vivre qui l'animait. La magnificence du cadre était digne de la beauté de la jeune femme. A la lueur du crépuscule, la mer reflétait les rayons dorés du soleil sur son ondulante chevelure cuivrée. Ses yeux vert émeraude étincelants embrassèrent le paysage. Depuis vingt-sept années qu'elle vivait là — elle y était née — Liz ne s'était jamais lassée de la splendeur de ce spectacle.

Elle fendit l'écume soulevée par le passage d'un chalutier et se prépara à accoster le long d'un des bateaux ancrés dans le bassin privé des Mallory. La plupart des propriétaires ne venaient que pour le week-end. Ils étaient déjà repartis pour Washington, laissant leur embarcation aux bons soins de leur fidèle ami Craig Mallory. Cette tâche était depuis quelques années une appréciable source de revenus pour le jeune cousin de Liz, ce dont elle se réjouissait. Vivre aux côtés de Craig devenait pour le moins délicat depuis l'accident qui l'avait rendu infirme, traumatisé à la fois moralement et physiquement. Désormais Craig s'occupait de la garde des bateaux, ce qui rendait la vie moins pénible en sa compagnie.

A peine avait-elle franchi l'extrémité de la digue que Liz aperçut un homme marchant à grands pas sur le quai. Malgré la distance elle reconnut la démarche de Roy Carlysle. Ce procureur de trente-sept ans conservait une allure, un charme juvéniles.

La jeune femme et lui étaient amis maintenant depuis quatre ans. Roy était entré dans sa vie le jour même où Gary Logan en était sorti. Elle n'avait jamais ignoré que Roy avait été envoyé par Gary pour « veiller sur elle » pendant les longs mois qui suivirent l'accident de Craig, mais son amabilité et son charme avaient été les bienvenus pour la distraire des dures réalités qui s'étaient soudain abattues sur sa vie.

Tout cela semblait aujourd'hui bien lointain. Leurs rapports s'étaient modifiés. Le changement avait été si subtil que Liz ne s'était pas rendu compte de l'attraction qu'elle exerçait sur lui. Puis ce fut trop tard pour faire marche arrière sans risquer de le heurter. Liz n'avait jamais souhaité avoir avec Roy autre chose que des liens d'amitié. Roy était marié et, somme toute, elle aussi !

Il la rejoignit à l'instant précis où elle amarrait le *Jessy Bess*. Elle ne l'avait pas vu depuis plusieurs jours. Il exerçait à Baltimore ses activités juridiques et s'occupait de toutes les affaires de Liz, jusqu'à ses placements et ses impôts. L'intuition lui dit pourtant que ce n'était pas les affaires qui l'amenaient ici à cette heure.

— Vous m'attendiez depuis longtemps ? demanda-t-elle en nouant les amarres.

Le regard admiratif de Roy, loin de l'enorgueillir, gêna Liz, lui rappelant combien son maillot de bain moulait son corps avec élégance, révélant les courbes gracieuses de ses hanches et de sa taille ; la pratique de la voile avait délicatement musclé ses cuisses et la maternité développé la rondeur de ses seins. La journée passée sous le soleil d'automne avait délicatement coloré son teint.

— Je me dégourdissais un peu les jambes, dit simplement Roy.

Il glissa les pouces dans les poches de son jean. Bien qu'il fût depuis trois mois séparé légalement de sa femme, la trace blanche de son alliance était encore visible à son annulaire gauche.

— Je n'avais pas l'intention de rentrer si tard,

ajouta Liz en passant ses doigts dans sa coiffure en désordre.

— Je suis heureux que vous ayez sorti le bateau, Liz. Vous n'avez pas eu beaucoup de week-ends comme celui-ci pour naviguer. Il est étonnant qu'il fasse encore si beau, n'est-ce pas ?

Liz approuva de la tête, se demandant la raison de sa venue. Ils n'avaient pas l'habitude des bavardages oisifs et Roy n'était certainement pas venu uniquement pour parler de la douceur de l'arrière-saison.

— Si vous m'aidiez à sortir les cages à langoustes ? Vous me raconteriez ce que vous avez en tête, suggéra-t-elle en souriant.

Elle quitta Roy pour se diriger vers l'extrémité du quai, afin d'extraire le filet du bateau. Mais il l'arrêta avant qu'elle ait eu le temps de sortir les cages de l'eau.

— Liz, laissez cela une minute. J'ai quelque chose d'important à vous dire.

Encore à genoux, Liz tourna la tête vers lui

— Quelle voix sinistre ! plaisanta-t-elle. Que se passe-t-il ?

Le visage de Roy s'assombrit.

— Il s'agit de Gary. Il est de retour.

Liz resta pétrifiée. Elle était parvenue à accepter l'idée que son mari ne porterait plus jamais intérêt ni à leur enfant ni à elle-même. Jasmina Grant était la seule personne à laquelle Gary s'intéressât, et Liz ne le lui pardonnerait jamais.

— Que veut-il ? demanda-t-elle avec un calme étonnant.

Roy haussa les épaules.

— Si je le savais ! Je l'ai seulement eu au téléphone, quelques minutes. Je n'ai aucune idée de ce qu'il vient faire ici. Il veut me rencontrer demain matin.

Liz devinait au ton de Roy que cette rencontre ne

le réjouissait pas, mais elle ne parvenait pas à en deviner la cause. Roy et Gary étaient de très bons amis, d'après ce qu'elle savait tout au moins.

Gary revenu en ville, soudainement ! Après leurs quatre années de séparation, l'idée ne pouvait guère éveiller de sentiment particulier en Liz. Elle pouvait tout au moins la préoccuper.

— Il doit être venu pour affaires, supposa-t-elle avec une apparente nonchalance, en reprenant sa besogne.

— Il souhaite vous rencontrer, ainsi que votre fils.

Son amour-propre la fit bondir.

— Laissez-le venir, lança-t-elle. Tant qu'il règle la pension, peu m'importe le reste.

La phrase semblait désinvolte, mais en réalité Gary Logan était bien la dernière personne que Liz désirât voir. Depuis quatre ans que Roy leur servait d'agent de liaison, elle souhaitait de tout son cœur que les choses continuent ainsi.

Dans l'intérêt d'Andy, Liz lui avait toujours brossé un portrait avantageux de Gary, en insistant sur l'importance de son travail en Amérique centrale. Un enfant de son âge aurait du mal à comprendre pourquoi cet homme les maintenait, sa mère et lui, à l'écart. Liz lui avait seulement dit que son père était un grand personnage et qu'il travaillait pour le gouvernement.

Elle sentit ses tempes battre à grands coups.

— En avez-vous parlé à Craig ? demanda-t-elle.

— Non. Je préférais vous en réserver la primeur. Pour être franc, j'ai redouté sa réaction.

Liz se souvint de l'accueil méprisant de Craig le jour où elle lui avait annoncé qu'elle attendait un enfant de Gary Logan et qu'il acceptait de l'épouser. Elle ne s'était pas rendu compte de la profondeur de la haine que son cousin nourrissait pour Gary.

— Craig est très obstiné, répondit Liz. Je suis

stupéfaite de voir combien il peut être gentil et affectueux avec Andy tout en entretenant un tel ressentiment à l'égard de son père. C'est comme s'il en voulait à Gary de son accident.

— Mais c'est ridicule, Liz. Gary n'a rien à voir avec cela. Il n'était même pas là.

— Je sais. Mais, quand il pense à Gary, il pense à Jasmina Grant et, elle, elle était présente. Comment Craig pourrait-il supporter la vue de Gary quand il se refuse même à prononcer le nom de cette fille ?

— Peut-être pourriez-vous le prévenir de sa présence dans la ville...

— Oui, je trouverai bien un moyen de le lui dire. Où Gary est-il descendu ?

— Hôtel de la Baie. Enfin... c'est là que la réservation a été effectuée... c'est là qu'il m'a prié de la faire, admit-il non sans une certaine gêne.

Roy était certainement mieux informé qu'il ne le prétendait.

— Je vois. Vous ne semblez pas très heureux de sa présence ? ajouta-t-elle.

— Je ne voulais pas que cela remue en vous des souvenirs désagréables, Liz. Je ne pourrais pas supporter que vous en souffriez.

— Ne vous tracassez pas pour moi. Je ne suis plus aussi vulnérable qu'autrefois.

Elle s'efforça de paraître détendue et lui sourit.

— Maintenant, si vous voulez dîner, vous ferez bien de m'aider à sortir ces langoustes.

Roy ouvrit les cages en riant. Liz parvint à en extraire quatre énormes crustacés.

La pêche dans l'estuaire n'était plus aussi abondante ces dernières années, mais chaque semaine, M. Hicks ne manquait jamais de leur laisser quelques-unes de ses prises. Il proclamait que c'était un échange avantageux pour lui, depuis que Craig s'occupait de mettre son vieux rafiot en cale sèche chaque hiver. Liz était certaine que M. Hicks était perdant à ce marché, mais elle n'avait jamais pu l'en convaincre.

Roy ne resta pas dîner. Cela ne lui arrivait guère que lorsqu'ils avaient à parler affaires. En revanche, il l'accompagna jusqu'au seuil de sa demeure et promit de se tenir à sa disposition si elle avait besoin de lui.

Liz déposa les langoustes dans un récipient d'eau de mer, près de la porte arrière de la maison, et entra. La ferme des Mallory avait vu se succéder cinq générations et, à en juger par sa robustesse, elle en abriterait encore au moins autant. Ses trois toitures distinctes témoignaient des agrandissements qu'avait connus le bâtiment à travers les âges, et lui donnaient une allure cossue bien particulière.

La vue de la cuisine, que des senteurs alléchantes rendaient encore plus accueillante, réchauffa le cœur de Liz. Elle entra juste au moment où Edith Kirk s'apprêtait à terminer sa journée.

L'aide d'Edith était inappréciable. Elle prenait soin d'Andy toute la semaine, tandis que Liz tenait la boutique et que Craig s'affairait sur les bateaux qui avaient besoin de ses services. Liz avait plaisanté en mentionnant à Roy le versement d'une pension par Gary : en réalité, les seules dépenses qu'elle lui laissait régler étaient les frais médicaux de Craig dont le prix était exorbitant. Ni l'un ni l'autre n'avaient de goûts ni de besoins dispendieux. D'ailleurs, elle ne s'était jamais sentie suffisamment l'épouse de Gary pour exiger qu'il subvînt à ses besoins.

— Ne vous croyez pas obligée de rester si tard, Edith, remarqua Liz, un peu honteuse de s'être absentée si longtemps.

La brave femme secoua la tête.

— Je n'ai rien de mieux à faire chez moi. Le fait

est que je m'inquiétais au sujet de votre fils et je voulais vous attendre pour vous en parler.

— Comment cela ? Il va plus mal ?

Andy n'avait jamais été un enfant très robuste, mais leur vieux médecin de famille lui avait assuré, après examen, qu'il ne s'agissait que d'un coup de froid. La fièvre était intermittente. Ce matin, lors de son départ, il n'en présentait pas le moindre signe. Elle avait toute raison de croire que la maladie touchait à sa fin.

— On ne peut pas dire qu'il ait rechuté, mais c'est sûr qu'il ne va pas mieux. Le Dr Foggarty est un brave homme, mais il n'est pas pédiatre. Promettez-moi que vous ferez examiner le petit par quelqu'un d'autre.

Liz n'était pas d'humeur à argumenter sur les capacités du Dr Foggarty. Andy l'adorait, et Liz s'était toujours sentie à l'aise avec lui. Elle n'avait jamais envisagé, jusqu'ici du moins, qu'un second diagnostic pût se révéler nécessaire.

— Je prendrai rendez-vous pour lundi, Edith, c'est promis.

— Je tenais à vous prévenir... J'ai l'intuition que quelque chose ne va pas chez cet enfant, conclut Edith, qui se retira en fermant doucement la porte.

Liz sursauta : Edith Kirk n'était pas du genre à dramatiser une situation inutilement.

Liz gravit l'escalier, et marqua un arrêt au seuil de la chambre de son fils pour écouter ce que Craig était en train de lui narrer. C'était *Boucle d'or et les trois ours,* l'histoire préférée d'Andy, bien qu'elle lui fasse toujours faire d'affreux cauchemars. Craig s'y connaissait en contes pour enfants.

Elle s'assit sur le bord du lit pour tâter le front de son fils. Elle ne put réprimer un soupir d'inquiétude : il était brûlant.

— Tu te sens mieux, mon chéri ?

12

Andy porta sur elle les yeux noirs et brillants qu'il tenait de son père.

— Un peu, je crois. J'espère que je pourrai bientôt faire du bateau avec toi. Je parie que je me serais senti très bien si j'étais venu avec toi aujourd'hui.

— Oh !... peut-être..., répondit-elle en lançant un regard entendu à Craig. La prochaine fois, d'accord ?

— Mon ventre est brûlant, se plaignit-il.

Habituée à de telles ruses, Liz sourit.

— Je parie qu'une grosse glace à la fraise le rafraîchirait, pas vrai ?

— Non, maman, je ne crois pas.

Anxieuse, Liz questionna son cousin du regard. Il se contenta de hausser les épaules.

— Fais un petit dodo, maintenant, dit-il à l'enfant affectueusement. Ça ira mieux demain matin.

Une fois dans la cuisine, tandis que Liz préparait une salade avec la langouste, Craig piocha dans le gâteau encore tiède. La jeune femme le regarda revenir vers la table, un verre de lait à la main. Il s'était miraculeusement remis de son accident de voiture alors que les médecins avaient pensé, dans un premier temps, qu'il ne survivrait même pas. Bien qu'une paralysie totale lui eût été prédite dans les semaines qui suivirent, il avait fait preuve d'une énergie que même ses proches ne lui soupçonnaient pas. Il avait fait ses premiers pas exactement dix mois après l'accident. Aujourd'hui, à part ses cicatrices, les seules traces apparentes étaient une claudication qui s'accentuait durant les périodes les plus froides de l'hiver et une dénivellation presque imperceptible des épaules.

L'accident avait pourtant fait des ravages en lui. Il possédait ce regard profond et mystérieux des Mallory, qui avait jadis attiré bien des jeunes filles. Liz, émue, retrouvait difficilement le souvenir de l'insouciant jeune homme qu'il avait été. A vingt-deux ans, il paraissait plus âgé que Liz.

Craig était venu vivre auprès d'elle et de son père après que ses propres parents eurent péri dans un incendie dont il avait été le témoin impuissant. Il avait alors à peine dix ans. Liz, de cinq ans son aînée, était devenue sa grande sœur. Trois ans plus tard, le père de Liz mourut brutalement, laissant la jeune fille seule, à dix-huit ans, pour veiller sur son cousin. N'ayant plus de famille, elle se jura de le garder auprès d'elle.

— Don Juan est revenu ?

La voix de Craig interrompit soudain ses rêveries. Liz comprit qu'il parlait de Roy. Craig n'avait jamais feint d'aimer cet homme. Il le situait sur la chaîne qui unissait Gary et Jasmina, ce qui lui semblait une raison suffisante.

— Tu sais, Roy et moi ne donnons pas dans le romantisme, s'exclama-t-elle dans l'espoir de détendre la conversation.

Mais Craig eut un sourire sarcastique.

— C'est vrai pour ce qui te concerne. Je n'en dirais pas autant de lui.

— Roy et Olivia ont quelques problèmes, mais je pense qu'ils vont tout faire pour les régler, répliqua Liz d'un ton de reproche.

— Il s'y prend étrangement. Il divorcerait sur l'heure s'il entrevoyait encore une chance de t'avoir dans son lit.

L'impudence de la phrase la blessa. Il s'en rendit compte :

— Il faut bien plaisanter un peu, corrigea-t-il, penaud.

Liz le regarda en riant :

— Tu me ferais perdre la tête !

Mais son rire se figea net lorsque Craig reprit la conversation :

— Alors, que veut don Juan ?

— Roy m'informait que Gary était revenu à Washington, sans doute pour affaires. Il est ici.

— Seul ? lança-t-il.

Cette question hantait secrètement Liz depuis que Roy lui avait appris la nouvelle.

— Je ne sais pas. Roy ne m'a pas parlé de Jasmina. A vrai dire, je doute qu'elle soit avec lui. Qu'en penses-tu ?

— Je ne suis pas devin ! s'écria Craig, se levant de table.

Il arpenta la pièce, quelques minutes, puis il annonça :

— Je vais me coucher !

— Attends, Craig !

Mais il était déjà sorti et Liz ne voulut pas le poursuivre. Pas cette fois-ci. Elle avait déjà bien trop à faire pour mettre de l'ordre dans ses pensées. Que Craig ruminât les siennes de son côté s'il le désirait !

La jeune femme se dirigea vers la cuisinière pour l'éteindre. Elle n'avait plus faim. Elle se contenta d'un thé qu'elle emporta dans la salle de séjour, ramassant au passage un magazine qui venait d'arriver au courrier.

Après s'être versé une tasse de thé, Liz s'assit à l'extrémité du sofa. Elle délaissa le magazine et souffla sur le liquide un peu trop chaud. Son esprit se mit à remonter le temps. Jusqu'à l'époque où sa vie, si bien ordonnée, avait connu les premiers bouleversements dont elle garderait à jamais l'empreinte indélébile.

Chapitre 2

IL SERAIT INEXACT DE DIRE QUE TOUT AVAIT COMMENCÉ LE
jour de sa rencontre avec Gary. Le premier boule-
versement remontait à sa rupture avec Steven
Blake. Elle connaissait Steven depuis toujours. Eco-
liers ensemble, ils s'étaient retrouvés plus tard à
l'université. Ils devaient attendre la fin des études
de médecine de Steven pour se marier. Vivre mari-
talement leur sembla être dans l'ordre naturel des
choses. Bien que ses rapports amoureux avec Steven
ne lui aient pas procuré autant de bonheur qu'elle
l'espérait, son affection pour lui demeurait intacte,
et Liz souhaitait toujours l'épouser.

Tout changea peu après la mort de son père.
Steven jugea que leurs plans devraient se modifier
et qu'il leur faudrait se marier tout de suite. Mais
l'amour qu'elle lui portait s'envola dès qu'il osa lui
dire : « Trouvons quelqu'un qui se charge de Craig à
notre place. » Elle ne voulut plus jamais revoir
Steven Blake.

Plusieurs mois s'écoulèrent. L'idée d'avoir des

relations avec un autre homme ne l'effleurait pas. Elle n'avait pas encore rencontré Gary.

Les souvenirs affluèrent à son esprit. A l'instant même où elle lui avait ouvert la porte, en cet après-midi de printemps, elle s'était sentie attirée par lui. Indépendamment de sa prestance, cet homme possédait un étrange rayonnement. Son beau visage buriné reflétait un caractère énergique. Son regard pénétrant la scruta minutieusement. Elle répondit par un examen tout aussi attentif. Il sembla apprécier qu'elle l'accueillît avec sang-froid. Sans doute était-il habitué aux beautés fragiles qui s'évanouissaient à ses pieds.

Portant un jean confortable et une chemise empruntée à Craig, qui lui tombait à mi-cuisses, Liz n'avait pas l'allure délicate de la jeune fille prête à tomber en pâmoison. Le coup de sonnette de Gary l'avait surprise en plein nettoyage de printemps. Dépourvus de maquillage, ses yeux émeraude brillaient derrière ses longs cils soyeux. Quand elle remarqua que l'étranger prenait soudain intérêt à sa vue, elle sourit.

— Que puis-je pour vous ? demanda-t-elle, pour rompre le silence.

— Cela dépend, répliqua-t-il d'un ton incisif. On m'a dit que Craig Mallory vivait ici. Je pense que vous êtes sa cousine Liz.

Dans un geste d'impatience, il écarta de son front une boucle de cheveux châtain foncé qui s'y était égarée. L'amabilité si prévenante qui émanait de ses yeux bruns avait fait soudain place à une détermination tranchante. Ses lèvres pincées masquèrent la sensualité de sa bouche.

— Oui, je suis Liz Mallory. Je regrette, mais Craig s'est absenté.

— Je cherche votre cousin, mademoiselle Mallory. J'ai toutes raisons de penser que ma pupille

Jasmina Grant s'est enfuie avec lui ce week-end pour l'épouser.

Liz fut si étonnée qu'elle eut peine à réprimer un éclat de rire. Il ne devait sûrement pas s'agir du même Craig Mallory. Ce ne pouvait être son Craig à elle !

— Je suis désolée, mais vous êtes à coup sûr victime d'une confusion.

— Je m'appelle Gary Logan. Jasmina vit au pensionnat de Baltimore. Elle a rencontré votre cousin il y a quelques mois, et hier soir...

— Craig n'a pas de secret pour moi, monsieur Logan, et je peux vous assurer que je ne l'ai jamais entendu parler d'une Jasmina. En outre, il passe actuellement son week-end à pêcher avec des camarades.

Gary plongea de nouveau ses yeux dans ceux de Liz.

— Vous n'êtes pas si naïve, mademoiselle. Je doute fort que votre cousin, un garçon de dix-huit ans, vous fasse partager tous ses secrets !

— Craig n'est pas du genre à faire une fugue avec qui que ce soit, insista-t-elle. S'il avait vu cette Jasmina, il m'en aurait parlé.

Il tendit une photo à Liz. Elle y reconnut effectivement Craig, enlaçant une jeune fille aux longs cheveux blonds, qui lui descendaient à la taille. Liz constata sa beauté et son extrême jeunesse.

— Elle est tout à fait charmante. Mais cette photo ne prouve pas...

Elle dut s'interrompre : l'homme lui tendait une lettre. Liz déchiffra en silence :

    « Gary,
« J'en ai assez de votre attitude dominatrice. Je m'en vais pour toujours. Suivant la volonté testamentaire de mon père, je dois percevoir la plus grande part de mon héritage le jour de mon

mariage. Quelle que soit la dureté de la décision que je prends aujourd'hui, sachez que c'est vous qui m'y avez poussée.

« Jasmina. »

— Jasmina n'a rien laissé d'autre dans sa chambre que cette photo et cette lettre, expliqua Gary. On m'a appelé hier soir pour m'apprendre sa fuite. Je suis arrivé peu après, par le premier vol. Je connais ma pupille, mademoiselle Mallory. Elle n'a pas abandonné cette photo sans raison, surtout après avoir inscrit au dos le nom et l'adresse de votre cousin.

— Autrement dit, la jeune fille souhaite vous trouver ici, répliqua-t-elle en lui rendant la lettre.

Il ricana :

— Vous êtes très maligne, mademoiselle.

Liz respira pour garder son calme.

— Espérons que votre cousin est intelligent, enchaîna-t-il. A dix-sept ans, Jasmina est mineure aux yeux de la loi. S'il la touche, j'accumulerai des charges contre lui avant même qu'il ait le temps de comprendre ce qui lui arrive.

Si elle n'avait pas eu la certitude qu'il serait capable de mettre sa menace à exécution, Liz l'aurait prié de déguerpir sur-le-champ. Le comportement autoritaire de cet homme incitait à la rébellion.

Vu les circonstances, Liz n'avait plus qu'à le conduire dans la chambre de Craig. Ils attaquèrent tous deux une fouille systématique. Liz n'imaginait pas que son cousin eût pu laisser une lettre, comme l'avait fait la jeune fille.

— Vous voulez bien me dire ce que vous cherchez ? demanda-t-elle, tandis qu'elle triait le contenu de la commode.

Gary venait d'ouvrir l'armoire et fouillait les poches d'une veste.

— Une indication sur l'endroit où ils auraient pu partir. L'appartement d'un ami... peut-être même un hôtel.

— Craig n'emmènerait jamais une fille à l'hôtel ! s'exclama Liz en lui faisant face, indignée. Vous ne pouvez savoir qui est Craig. C'est un jeune homme comme il y en a peu. Il a même travaillé pour avoir les moyens de s'acheter une voiture.

Ces mots provoquèrent un froncement dubitatif des sourcils de Gary.

— Qu'est-ce que c'est ? demanda-t-il, en brandissant une boîte trouvée au-dessus de l'armoire.

— Oh ! rien que des babioles qu'il a mises de côté. Des souvenirs personnels.

Le voyant assis sur le lit, prêt à ouvrir la boîte, elle hurla :

— Puisque je vous dis que ce sont des souvenirs personnels !

Comme s'il n'avait rien entendu, il entreprit d'ôter le couvercle. Liz s'interposa et posa la main sur l'objet, à la grande surprise de Gary Logan.

— Je vous l'interdis, monsieur. Vous allez trop loin.

Gary enserra son poignet comme un étau.

— Retrouver ma pupille est ma préoccupation essentielle. Je suis vraiment navré.

— Vous me faites mal, monsieur.

Il desserra son emprise sans lâcher complètement le poignet de Liz et massa délicatement la chair meurtrie.

— Je ne voulais pas être brutal, excusez-moi.

Liz sentit battre son cœur plus fort qu'il ne convenait et retira vivement son bras. Elle redoutait que Gary s'aperçût du trouble qu'il provoquait en elle. Cependant, le regard appuyé qu'il lui portait redoubla ses craintes.

Elle retourna immédiatement à la commode, le laissant faire ce qu'il jugerait bon. Elle eut alors la surprise de constater que Gary allait replacer la boîte sur l'armoire sans en avoir examiné le contenu. Il n'éprouva pas le besoin de justifier son acte. Il vint se poster derrière elle. Leurs yeux se rencontrèrent dans le miroir qui surmontait la commode. Vous me plaisez, Gary Logan, pensa-t-elle en amorçant un léger sourire du coin des lèvres. Vous me plaisez beaucoup.

— Merci, monsieur Logan, se surprit-elle à dire à voix haute.

— Appelez-moi Gary.

Le sourire de Liz s'accentua.

— Gary, prononça-t-elle, rien que pour savoir comment sonnait ce nom dans sa bouche, comment ses lèvres l'articulaient.

Au grand regret de Liz, il se remit à sa tâche. Elle l'observait à la dérobée. Il semblait beaucoup trop mondain pour éprouver de l'intérêt envers elle, une fille de maître d'école, une petite-fille de pêcheur. Les femmes de la bonne société lui conviennent mieux, conclut-elle en elle-même. Si tu te sens attirée par lui, c'est tout simplement que tu n'as encore jamais rencontré d'homme de son espèce.

— Vous devez bien avoir une idée de l'endroit où il a pu l'emmener, suggéra Gary. Où peut-il entraîner quelqu'un avec qui il souhaite se retrouver seul ?

Liz s'était pris la tête dans les mains quand un éclair sembla soudain la frapper :

— Mais oui ! mon Dieu ! La cabane ! L'île ! Comment n'y ai-je pas pensé plus tôt ? Je n'y suis pas retournée depuis des années. Cette cabane appartenait à son père. Ils y passaient jadis d'agréables moments ensemble. Craig aimait cet endroit, mais... cela fait si longtemps !

Gary se leva d'un bond.

— Il ne faut rien négliger. Comment y allons-nous ?

— Nous ne pouvons pas y aller! répliqua Liz.

— Vous avez bien un bateau?

— Oui, bien sûr! mais c'est un voilier. Au cas où vous ne l'auriez pas remarqué, l'orage menace. Nous n'échapperions pas au naufrage.

Liz devinait combien il était contrarié.

— Si vous voulez prendre le risque, je peux emprunter le hors-bord d'un ami, reprit-elle.

Elle était inquiète pour Craig, surtout en pensant à ce qui pourrait advenir si Gary s'acharnait sur lui. Elle se demandait aussi en quoi cette Jasmina Grant était exceptionnelle, au point que Garry veuille affronter les éléments.

— Je vais demander un bateau. Allons-y! soupira-t-elle.

Liz précéda Gary dans le vestibule. Il sortirent. Les vagues commençaient à s'agiter dans la baie, mais ce n'était pas encore la tempête prévue pour la nuit.

Liz dut constater combien elle avait sous-estimé les compétences de Gary en matière de navigation. Elle s'en rendit compte dès qu'il prit la barre sans même lui demander si elle préférait la tenir. Elle n'émit d'ailleurs aucune objection. L'inaction lui fournissait l'occasion inattendue d'étudier l'étranger entre les mains duquel elle venait de remettre sa vie, au milieu des vagues écumantes.

Son visage et ses mains étaient hâlés. Le vent soulevait les boucles de ses cheveux châtain foncé, presque noirs. Les paupières plissées face aux embruns, il semblait solide comme un roc, le roc sur lequel viendrait se briser la tempête.

— Vous savez qu'il nous sera peut-être impossible de revenir ce soir? demanda Liz, les yeux fixés vers les nuages noirs qui s'accumulaient au-dessus de leurs têtes.

Il tourna les yeux vers elle en souriant et elle regretta la maladresse de sa question : pensait-il à la nuit qu'ils allaient être amenés à passer ensemble ?

— S'ils sont effectivement dans cette cabane, peu importe. Je ne serais pas fâché que la tempête les dérange un peu.

— Vous n'êtes pas raisonnable. Il est injuste de blâmer Craig de cette aventure.

— Vous êtes prompte à le défendre, malgré les preuves contre lui, lança-t-il.

Elle détourna son regard, embarrassée, ce qui provoqua l'hilarité de Gary. Son rire étrange, chaud et harmonieux, dissipa le ressentiment de Liz. Elle éprouva le besoin d'en savoir davantage sur lui :

— Où avez-vous cueilli cette jeune fille ?

— Je ne l'ai pas « cueillie », je puis vous l'assurer. Jasmina était l'enfant unique du Dr Sidney Grant, le demi-frère de mon ex-épouse.

Liz nota l'allusion à sa femme. Il avait bien dit « ex ».

— Je connais très bien le nom de Sidney Grant. Il a reçu le prix Nobel, n'est-ce pas ?

La précision impressionna Gary.

— En effet, il est mort six mois plus tard, en me confiant Jasmina. J'ai également à charge de veiller sur la plus grande part de son héritage. Ce qu'elle dit dans sa lettre à ce propos est exact. Mais il y a certaines conditions.

— Des conditions ?

— Je dois approuver le choix de son mari.

— Et s'ils sont déjà mariés ?

— J'annule !

— Et si le mariage a été consommé ?

Menaçant, Gary la foudroya du regard :

— Alors votre jeune cousin le paiera chèrement.

Lorsque l'île fut en vue, Liz se laissa tomber sur le siège. Elle redoutait ce qu'ils risquaient de découvrir à leur arrivée, mais une autre pensée la tourmentait par-dessus tout. Que se passerait-il s'ils devaient abandonner leurs recherches pour la nuit ? Pourrait-elle surmonter l'émoi que cet homme provoquait en elle ? Le désir de mieux le connaître la reprit :

— Alors, vous n'êtes pas marié ?

Liz dut s'expliquer devant le regard interrogateur de Gary.

— Vous avez parlé de votre ex-épouse. Je présume donc que vous êtes divorcé.

Un sourire se dessina sur sa bouche charmeuse :

— Depuis plusieurs années. J'ai trente-trois ans et je travaille pour le Gouvernement fédéral en tant qu'homme de loi, la plupart du temps en Amérique centrale.

Il poursuivit, moqueur :

— Voyons, que désirez-vous apprendre d'autre, maintenant ? Ah, j'oubliais, je dors en pyjama, dans un lit à deux places, mais généralement seul. Ai-je fait le tour de vos préoccupations, Liz ?

— Tout juste, plaisanta-t-elle. Vous êtes incroyablement arrogant, monsieur Logan. Mais je ne dois pas être la première femme à vous le dire.

Il partit d'un généreux éclat de rire.

— Vous savez être directe quand vous le voulez. Cela me plaît, Liz, cela me plaît même beaucoup.

A ces paroles, la première remarque personnelle depuis leur rencontre, les cils de Liz battirent. Mais à son grand regret, il n'était plus temps de poursuivre cette conversation. L'île s'étendait maintenant devant eux.

— C'est ici ! s'exclama-t-elle.

Gary mit le moteur au ralenti et repéra avec soin un lieu d'ancrage où ils ne risqueraient pas d'échouer. Il était habitué à la traîtrise de la marée qui masque souvent des bancs de sable presque à fleur d'eau.

Ils accostèrent à un dock, qui avait terriblement

besoin de réparations. Gary débarqua le premier, puis tendit la main à Liz qui la saisit volontiers.

— La cabane doit être par ici, masquée par les arbres.

Gary glissa son bras autour de la taille de la jeune femme pour l'aider à grimper parmi les rochers.

— Venez, dit-il. Nous trouverons.

La jeune femme fut soulagée de découvrir la cabane juste là où elle l'avait pensé. La barrière de bois craqua sous la pression de leurs mains, mais la porte elle-même s'ouvrit sans heurt. Ils n'aperçurent âme qui vive dans l'unique pièce qui composait cet abri, mais son état de propreté semblait montrer qu'elle était habituellement fréquentée. Dans l'embrasure de la porte, Liz resta dans la demi-obscurité. Lorsque ses yeux se furent accoutumés, elle distingua les silhouettes du mobilier épars. Un coin de la salle était occupé par un poêle à charbon, à côté duquel elle aperçut un vieux rocking-chair. Devant un sofa passablement abîmé, se trouvait une table basse jonchée de magazines et de livres.

Liz se tourna vers Gary qui allumait une lampe à pétrole. Sa lumière lui permit de distinguer le reste du mobilier. La découverte la plus intéressante fut celle d'un bahut dressé contre le mur du fond. L'étagère était garnie d'une rangée de vieilles photographies qui serrèrent le cœur de Liz. Elle se retrouva face aux visages souriants et tendres des parents de Craig, à côté d'un portrait de groupe de leur petite famille.

Liz laissa Gary explorer la première partie de la pièce, et se dirigea vers le bahut. Elle examina les photos, et se rendit compte que les traits de tous ces défunts s'étaient estompés de sa mémoire. Le souvenir lui en revint peu à peu : sa tante et son oncle... sa mère... son père. Elle s'était rarement permis de revenir ainsi sur son passé, mais la preuve s'étalait devant ses yeux que Craig le gardait en son cœur.

En fouillant la chambre de son cousin, Liz se reprochait déjà de s'immiscer dans sa vie privée. Mais ici, un sentiment de culpabilité encore plus fort la saisit. Elle venait de violer ses pensées intimes, des pensées qu'il refusait de partager avec quiconque.

Lorsque Gary la rejoignit, elle se rendit compte qu'elle pleurait. Ni la rupture avec Steven, ni même la perte de ses parents ne l'avaient affectée aussi profondément que la découverte que Craig venait depuis des années régulièrement dans ce sanctuaire, et cela à son insu.

Gary examina la photo de groupe en silence.

— C'est Craig au milieu de sa famille, murmura-t-elle. Ses parents sont morts dans un incendie quand il était petit.

Elle laissa couler ses larmes sans honte. Un sanglot lui échappa.

— Son père le sauva des flammes, puis revint chercher sa mère, poursuivit-elle, en fermant les yeux. Il assista à tout cela. Mon Dieu, comme il doit en être marqué à jamais ! Je ne m'en doutais pas à ce point. Si j'avais su...

Elle ne put poursuivre mais cela n'était pas nécessaire. Gary devinait ses sentiments. Il remit la photo en place et prit Liz dans ses bras.

Accrochée au cou de Gary, elle laissa libre cours à son émotion.

— Je croyais si bien connaître mon cousin...

Cela faisait bien longtemps qu'elle ne s'était pas accordé le luxe de pleurer. Depuis bien longtemps aussi elle ne s'était pas permis une telle intimité avec un homme. Elle fut heureuse de la sécurité que lui procuraient les bras de Gary. Elle apprenait à mieux connaître l'homme qui avait exercé un tel envoûtement sur elle dès le premier instant. Il se révélait affectueux et secourable et, surtout, aussi sensible qu'elle-même. Même lorsqu'elle fut calmée, il la garda dans ses bras quelque temps.

Il caressa son dos et la pressa plus fort encore contre lui. Le visage collé contre sa poitrine, la jeune femme sentit s'accélérer les battements du cœur de Gary. Deviner qu'elle était la cause de l'émoi de cet homme lui conféra une étrange sensation de puissance. Il avait eu, il y a une heure à peine, le même effet sur elle. Maintenant c'était son tour.

— Liz, soupira-t-il.

Sa joue hâlée effleurait les cheveux de la jeune femme. Ses mains caressaient ses épaules. Liz l'étreignit et leva vers lui des yeux encore humides. Elle était consciente d'attendre de Gary bien plus qu'un réconfort passager. Le regard qu'il lui adressa l'assura de la réciprocité de ce sentiment.

Gary desserra néanmoins son étreinte pour s'éloigner de quelques pas.

— Le ciel nous promet décidément une nuit tourmentée. Je vais essayer d'allumer le feu.

Je crois que vous y êtes déjà parvenu, songea Liz, prêtant un autre sens à ses paroles. Mais elle garda le silence.

Chapitre 3

LIZ ATTARDA SON REGARD SUR SA TASSE DE THÉ. ELLE AVAIT soudain envie de pleurer. Ce soir, les souvenirs affluaient contre sa volonté. Elle s'en voulait de l'effet produit sur elle par la nouvelle du retour de Gary.

Pour se mettre à l'épreuve, elle tenta de ressusciter les sentiments qu'elle avait éprouvés pour lui. Le plaisir de voir grandir Andy lui avait fait oublier les appréhensions ressenties lorsqu'elle avait dû assumer, seule, cette maternité. La présence de Gary lui avait cruellement manqué lors de la naissance de son fils. Il aurait su atténuer l'angoisse de perdre son enfant, venu au monde prématurément.

La mémorable nuit lui revint à l'esprit.

Ils s'étaient assis près du feu et parlaient librement. Gary lui avait fait comprendre pourquoi Craig ne lui avait jamais livré le secret de sa liaison avec Jasmina Grant. Elle se rendit compte que son cousin avait une vie privée intensément remplie, qu'elle se jura de respecter plus que jamais. Jasmina Grant devait avoir beaucoup d'importance pour lui. Liz se surprit à éprouver une grande curiosité envers cette jeune fille, ainsi que pour ses rapports avec Gary. Il l'avait désignée comme sa pupille. Manifestement il n'était pas enthousiasmé d'en avoir la responsabilité. Il l'avait pourtant acceptée et en assumait les conséquences avec sérieux. Liz se demandait cependant si Gary disait bien le fond de sa pensée.

Assise sur le sofa, les jambes repliées sous elle, elle étudiait attentivement le comportement de Gary. Installé dans le rocking-chair, il examinait les livres épars sur la table.

— Si la photo que vous m'avez montrée est fidèle, Jasmina Grant est une bien jolie fille, lança Liz, guettant les réactions de son interlocuteur.

— Jasmina ? Oh oui ! Elle est charmante, commenta-t-il sans quitter les bouquins des yeux. Votre cousin a des lectures surprenantes. Cela va de Charles Dickens à Jack London. Très intéressant. Savez-vous que l'on peut discerner le caractère de quelqu'un au travers de ses lectures ?

Gary ponctua sa question d'un sourire. L'embarras de Liz avait deux causes : elle était contrariée de la façon dont il avait éludé la question concernant Jasmina, mais aussi perplexe quant au sens de sa remarque qui, peut-être, cachait un jugement défavorable sur Craig.

— Je vous signale que ces livres sont à moi.

— Je ne m'en serais pas douté, répondit-il avec un regard chaleureux. J'aurais plutôt cru que vous donniez dans les romans sentimentaux. Vous savez, les histoires de passions effrénées et de noires tragédies, qui se terminent toujours bien.

Liz haussa les épaules.

— Eh bien ! vous vous trompez, lança-t-elle, hérissée par l'idée qu'il pouvait se faire d'elle. J'ai les pieds sur terre, monsieur Logan.

Il se mit à rire.

— Cela signifie que vous ne croyez pas à l'amour ?

Liz se redressa pour trouver sur le sofa une position plus confortable.

— Si, j'y crois. J'ai été fiancée, mais cela n'a pas duré.

Gary garda le silence quelque temps avant de lui demander le plus sérieusement du monde :

— Qui a rompu ?

— A vrai dire, c'est lui.

Elle crut l'entendre murmurer : « Quel idiot ! », puis il se plongea dans sa lecture. Liz se dirigea vers le coin-cuisine, à la recherche de quelque nourriture. Elle découvrit une ou deux boîtes de conserve.

Dehors la tempête ne montrait aucun signe d'accalmie. Impossible de rentrer.

— Vous avez faim ? demanda-t-elle tout en examinant la rudimentaire batterie de cuisine.

Gary traversa la pièce pour la rejoindre.

— Maintenant que vous en parlez, je me sens un grand appétit. Vous avez vu du café ?

— Oui. Il y a même une bouteille d'eau douce à côté.

— C'est parfait.

Gary inspecta le placard. Il y trouva un fatras d'objets qui pourraient leur servir ultérieurement, comme des draps et des couvertures. Mais où pourraient-ils trouver ici deux lits séparés ?

Cette pensée la hanta tout au long du frugal dîner qu'ils partagèrent en silence. Elle n'était certainement pas du genre à dormir avec un homme au nom de la simple attirance physique qu'il éveillait en elle.

A la lueur tremblante de la lampe à pétrole et du feu de bois qui rougeoyait à leurs pieds, ils terminèrent leur repas par un délicieux café que Liz était parvenue à préparer. Lovée sur le sofa qui faisait face à Gary, elle remarqua que la tempête commençait à s'éloigner pour laisser place à un vent mollissant.

— Vous m'avez peu parlé de votre travail, interrogea-t-elle. Est-il dangereux ?

Elle avait lu beaucoup d'articles sur les périls rencontrés lors de séjours dans les pays d'Amérique centrale.

Gary manifesta soudain une grande passion pour ce sujet.

— J'essaye de ne pas y penser, mais le danger est réel. Les gouvernements étrangers n'apprécient pas beaucoup les interventions extérieures. Le choix de l'entourage et des relations est le meilleur garant de la sécurité. Et mieux vaut ne pas porter les cheveux trop longs si on ne veut pas être pris pour un guérillero et se faire abattre comme tel.

Gary surprit le léger tremblement qui parcourait la jeune femme.

— Ces incidents ne sont tout de même pas quotidiens. Liz, je m'en voudrais de vous effrayer.

Liz s'efforça de masquer son émoi. Elle se sentait donc si concernée par cet homme qu'elle se mettait à avoir peur pour sa vie !

— Ce métier est-il si important pour vous ?

Il gardait les yeux rivés sur le clignotement de la lampe.

— Oui. Avant que j'accepte cette mission, je n'étais qu'un juriste comme les autres, je me consumais dans un travail pour lequel je n'éprouvais pas d'intérêt particulier. Maintenant je me sens bien à ma place, je le dis sans vanité. Je ne puis m'imaginer cherchant un jour autre chose... ni surtout une autre région du monde.

— C'est pour cela que vous êtes divorcé ? ne put-elle s'empêcher de demander hardiment.

Il se dirigea vers la fenêtre pour contempler la profondeur de la nuit.

— Oui, Liz, c'est bien là la raison.

La réponse de Gary suscita des questions nouvelles dans l'esprit de Liz. Le fait qu'il ait préféré son travail à son foyer signifiait-il que les relations affectives n'étaient pas primordiales dans sa vie ? Etait-ce cela qu'il avait voulu lui faire comprendre en parlant avec tant d'ardeur de ses activités professionnelles ? S'il avait souhaité la décourager dans les sentiments qu'elle éprouvait à son égard, il ne s'y serait pas pris autrement. Quelle arrogance insupportable !

— La tempête s'éloigne, remarqua Liz brusquement en quittant le sofa. Je vais vérifier l'état du bateau et m'assurer que l'orage ne l'a pas submergé.

Gary se détourna de la fenêtre.

— Je m'en occupe. Restez à l'abri.

— Inutile ! lança-t-elle d'un ton hautain. Je suis capable de me débrouiller sans homme !

Sur ces mots, Liz se hâta de franchir la porte, soucieuse de mettre un peu de distance entre eux. Faire quelques pas dehors lui permettait enfin de remettre ses idées en place en toute quiétude.

Les bourrasques avaient maintenant disparu et une douce brise venait caresser le visage de Liz. Il lui fallut quelques minutes pour se rendre compte qu'elle était encore plus furieuse contre elle-même que contre Gary. Elle n'avait jamais joué au chat et à la souris avec les hommes, comme le font la plupart des filles qui sortent de l'adolescence. A cet égard, elle conservait une inexpérience d'enfant. L'attirance qu'elle éprouvait pour Gary la désorientait profondément.

Après avoir vidé le bateau, Liz se laissa tomber sur l'herbe humide du rivage pour contempler les dernières lueurs du soleil, déjà loin sous l'horizon. L'air avait été rafraîchi par la pluie. La végétation dégageait des senteurs apaisantes. Au loin, Liz pouvait voir l'orage s'éloigner vers l'ouest et les derniers éclairs illuminer la masse sombre des nuées.

Les genoux repliés sur la poitrine, Liz s'enfouit la tête dans les mains. Le divorce de Gary ne la concernait pas. Cet homme n'était rien pour elle, elle devait se rendre à l'évidence. Mais son cœur et sa raison ne parvenaient pas à s'accorder. Elle perdait tout contrôle d'elle-même et se sentait impuissante comme jamais.

— Votre maman ne vous a pas dit qu'il était très malsain de s'asseoir par terre pendant les mois en « r »... ?

Gary s'était approché si silencieusement que sa voix la fit tressaillir.

— Ma mère ne se souciait pas beaucoup de ces dictons stupides, répliqua-t-elle. La vôtre non plus, je pense ?

La proximité du corps de Gary l'intimidait au point qu'elle resserra ses mains autour de ses genoux.

— Je n'ai jamais été ce que vous appelleriez un enfant obéissant.

Gary lui caressa la joue avec une fleur sauvage ramassée en chemin. Il l'offrit à Liz, qui admira les pétales d'un jaune vif.

— Nous faisons la paix ? demanda-t-il. Je préfère être votre associé que votre ennemi. Même si nous ne sommes pas d'accord au sujet de Craig et de Jasmina.

Liz soupira.

— Je me doutais bien que même la visite de la cabane ne vous ferait pas changer d'avis au sujet de Craig.

Gary se laissa glisser sur les coudes.

— Il a dix-huit ans. Selon la loi, il est en âge d'assumer ses responsabilités. Jasmina n'est qu'une jeune fille sans expérience. La loi voit en elle une enfant.

— Vous ne faites rien sans votre code ?

— J'aime beaucoup mon métier, Liz.

— Pas de pitié pour les faiblesses humaines, je suppose ? Si vous faites si peu de cas des sentiments, c'est sans doute que vous vous contrôlez vous-même infailliblement.

— Qu'en pensez-vous ?

Sa réponse claqua comme un défi.

Comment se comporterait-il, se demanda Liz, si elle tentait de le séduire ?

— C'est exactement mon opinion. Vous n'avez jamais envisagé le cas où ces deux enfants s'aimeraient réellement, ou du moins en seraient persuadés. En réalité Craig en est, lui aussi, tout juste à son premier essor. Et s'il était la proie de votre pupille ?

— Ce n'est pas impossible, telle que je la connais. Mais la loi ne prévoit rien dans ce cas.

— Assez de votre loi ! cria Liz, furieuse. A quel âge pensez-vous qu'une femme soit responsable de ses actes ?

Amusé, Gary plongea ses yeux dans les siens.

— Vous, en tout cas, vous n'avez plus la naïveté de Jasmina, Liz Mallory. J'ai pu m'en rendre compte.

Le visage levé vers lui, elle regarda sa bouche, se demandant comment il réagirait si elle venait à poser ses lèvres sur les siennes.

Mais, déjà, il avait repris :

— Jasmina est du genre à plonger par dix mètres de fond, pour se souvenir ensuite qu'elle ne sait pas nager. Alors, elle crie au secours et il se trouve toujours quelqu'un pour la sortir de l'eau.

— Entendez-vous par là qu'elle a coutume d'aller au-devant des ennuis ?

— Bien sûr que non ! J'ai seulement voulu dire qu'elle avait besoin d'être surveillée. Elle est très fragile.

Son ardeur à défendre la jeune fille ne fit qu'ac-

34

croître la curiosité de Liz. Quelles étaient donc leurs relations ?

— A-t-elle besoin d'une protection quelle qu'elle soit, ou bien de la vôtre en particulier ?

Elle comprit que cette phrase l'avait touché au vif car Gary se recula brutalement. Il marcha vers le rivage.

— Vous avez assez de soucis avec Craig. Laissez-moi ceux qui concernent Jasmina.

Liz fut surprise par son ton glacial. Avait-elle donc prononcé une phrase blessante, ou bien avait-elle sous-estimé l'attention que portait Gary à sa soi-disant fragile pupille ?

Elle se dirigea vers lui, enfila la fleur à sa boutonnière. Le terrain du combat avait été tracé, et chacun avait choisi son camp.

— Le bateau n'a pas de lumières de bord. Nous ne pourrons décidément pas rentrer cette nuit. Je crois que cela ne vous dérangera pas trop, lança Liz.

Gary s'empara de son bras lorsqu'elle passa à proximité de lui. Il avait un visage affligé.

— Liz, je vous prie de m'excuser. Je sais que ce n'est pas votre faute. Vous avez fait votre possible pour m'aider. Il serait injuste que je vous fasse supporter les conséquences de mon humeur.

— Vous ne le ferez pas, j'en suis certaine.

Gary laissa Liz rejoindre seule la cabane. Avec un peu de chance elle serait endormie lorsque les moustiques le contraindraient à s'y réfugier pour la nuit. Plus tôt elle pourrait rentrer chez elle pour ne plus revoir cet homme et mieux ce serait.

A l'extérieur de la maison se trouvait une citerne alimentée par l'eau de pluie. Cela lui conviendrait pour prendre un bain avant de dormir. Gary lui accorderait vraisemblablement un délai suffisant.

Elle prit un seau qu'elle plaça sous le jet de la pompe. Au moment de le retirer, Liz ne parvint pas à refermer d'une seule main le robinet rouillé. Avant qu'elle ait eu le temps de poser le seau, l'eau avait éclaboussé ses vêtements.

— Puis-je vous être de quelque secours ?

Gary s'était précipité, et avait fermé le robinet d'une seule main, ce qui contribua à irriter Liz. Il plaisanta :

— Ce seau est bien petit pour prendre un bain !

L'exaspération provoqua en elle une réaction spontanée. Elle jeta à la figure de Gary le contenu du seau. Il fut trempé, cette fois, de la tête aux pieds.

— Vous avez raison, Gary, c'est trop petit pour un bain !

— Petite garce... laissa-t-il échapper. Vous n'allez tout de même pas... menaça-t-il, lui saisissant le bras avant qu'elle pût s'enfuir.

En un éclair Liz imagina des dizaines de conséquences à son acte, mais il ne lui serait jamais venu à l'esprit qu'elle se retrouverait plaquée sur la poitrine de Gary avec une telle violence. Le souffle lui manqua. Il l'enlaça, en maintenant les bras de la jeune femme derrière son dos, et plongea sa main libre dans la chevelure cuivrée. Liz ne put détourner son visage et sentit la bouche de l'homme venir se plaquer sur ses lèvres.

Ce qui avait commencé comme un assaut vengeur et punitif devint bientôt une source de plaisirs inespérés. Le corps de la jeune femme fléchit au ferme contact de Gary, répondant par un secret accord aux caresses de ses mains.

Je n'osais y croire, pensa Liz en offrant ses lèvres à la plus délicieuse des pressions. Se trouver ainsi projetée dans les bras d'un homme autant par sa fureur que par sa passion ! Comment imaginer que la colère puisse ainsi engendrer l'amour ?

A peine eut-il libéré ses bras qu'elle les jeta autour du cou de Gary. Elle s'accrocha à lui fébrilement.

Si c'était un jour nécessaire, elle plaiderait la démence pour justifier ce moment d'oubli entre ses bras. Il n'existait pas d'autre justification à la façon dont elle lui rendit son baiser assoiffé. Elle se colla elle-même si étroitement à son corps que la chaleur de leurs baisers effaça l'impression de froid causée par leurs vêtements humides.

Un gémissement léger échappa à Liz lorsque Gary déboutonna le col de sa chemise et effleura de ses lèvres son cou satiné. Liz, instinctivement, laissa aller sa tête en arrière, puis ses épaules. Son souffle était de plus en plus court.

Gary glissa sa main dans l'entrebâillement de la chemise, pour s'arrêter juste au-dessus de ses seins. Liz sentit se raidir les muscles de son dos. Il retira sa main avec une infinie lenteur, comme malgré lui.

— Je suis désolé, Liz, murmura-t-il en faisant glisser ses doigts sur sa peau brûlante. Je ne voulais pas... Vous m'avez fait oublier mes bonnes résolutions.

— Je ne comprends pas, Gary. Dans la cabane, quand vous m'avez pris le bras, j'ai pensé... du moins, j'ai cru que vous vouliez...

Les yeux dardés sur elle, il ne la laissa pas poursuivre.

— Vous avez cru quoi, Liz ? Que je me préparais à vous séduire depuis le premier moment où je vous avais aperçue ?

Liz n'essaya pas de nier. Il enchaîna :

— Eh bien, vous avez raison. Si je vous avais rencontrée en d'autres circonstances, je n'aurais probablement pas hésité.

— C'est à cause de Jasmina et de Craig... ?

— Mon Dieu, non ! Mais je ne vous connais que depuis quelques heures. Vous n'êtes pas le genre de femme qu'un homme quitte juste après l'avoir aimée. Que vous en soyez consciente ou non, cela vous rend dangereuse. Vous n'êtes pas la femme d'une nuit, Liz. Et quand viendra demain, je devrai vous quitter.

Liz savait qu'il avait raison. Il lui avait offert le plus beau compliment qu'un homme pût adresser à une femme. Cependant, loin d'être touchée, elle se sentait humiliée : parce qu'il s'était repris, et aussi parce qu'elle avait répondu si passionnément à son désir. Elle ne voulut pas reconnaître son échec :

— Est-ce vraiment pour cela ? Il y a une minute vous m'embrassiez comme un homme qui a une idée précise en tête, et tout à coup, vous vous êtes écarté. Vous êtes-vous rappelé subitement que vous teniez dans vos bras une ennemie.

— Vous êtes une petite sorcière !

Gary ne pouvait plus refréner sa colère.

— Vous êtes la créature la plus diabolique que j'aie jamais rencontrée. Je plains l'homme qui un jour tombera dans vos griffes.

— Cela veut dire... ?

Liz n'avait pas remarqué que sa chemise humide collait sur son corps, mais le regard de Gary était éloquent. La cotonnade moulait son buste, le soutien-gorge trempé n'en voilait plus les détails.

— Vous avez un corps superbe, Liz, lança-t-il, amusé de la voir essayer en vain de décoller de sa peau l'étoffe indiscrète. Votre charme est trop diabolique pour qu'on vous accorde confiance. Vos yeux sont d'émeraude, et les plus expressifs que j'aie jamais rencontrés. On dirait qu'ils m'adressent le même message qu'aux premiers instants de notre rencontre. D'une façon ou d'une autre, Liz Mallory, l'homme qui vous aimera connaîtra des nuits blanches !

Pourquoi faut-il que ce soit lui ? se demanda Liz. Pourquoi suis-je tombée amoureuse d'un homme comme Gary Logan ?

— Voulez-vous m'aider à reprendre un peu d'eau ? dit-elle, brisant brutalement leur badinage. Je voudrais me laver avant d'aller dormir.

Il mit un moment à répondre.

— Le bain vous attend. Je l'avais préparé pendant que vous alliez vérifier l'état du bateau. Vous trouverez de l'eau bouillante sur le poêle.

Une fois revenue à la cabane, Liz y trouva tout en ordre, comme il l'avait annoncé. Le sofa déplié y formait un confortable lit à deux places. Gary avait également accroché une corde tendue d'un drap en guise de paravent, pour qu'elle pût se laver en toute quiétude. Si étrange que cela parût, elle se prit à sourire. Il avait eu beau la traiter de sorcière, il lui fallait bien reconnaître qu'il était habile.

Liz venait de commencer à se déshabiller derrière la tenture quand le grincement de la porte l'informa que Gary venait d'entrer. Gênée, elle s'efforça de ne pas prendre garde aux craquements du rocking-chair.

Gary feuilleta un des livres et s'efforça de détourner les yeux de la silhouette que la lampe à pétrole projetait sur le drap. Il ne parvint cependant pas à maintenir son regard baissé. Liz avait retiré sa chemise pour la poser sur la corde. Dépourvue de ce vêtement trop ample pour elle, toute la féminité de sa silhouette se détachait dans le contre-jour révélateur.

Liz se détendit dans l'eau tiède. Tout son corps frémit à la pensée que cet homme se trouvait à quelques mètres de là. Elle rejeta ses cheveux en arrière d'un ample mouvement de tête, comme pour chasser la pensée qui obsédait son esprit.

Le bruit d'un livre reposé sur la table la fit sursauter.

— Dickens ou Jack London ? plaisanta-t-elle.

— Ni l'un ni l'autre, fit-il d'un ton nerveux. Pourriez-vous vous hâter ? J'aimerais bien aller dormir.

— Quelques minutes, je vous prie. Je tiens le bain pour un des grands plaisirs de la vie.

Gary ne put se contenir.

— Si vous désirez rester là toute la nuit, autant faire la conversation. Comment était le garçon que vous comptiez épouser ?

— Steven était charmant. Mon père l'aimait beaucoup.

— Et vous ? Vous plaisait-il ?

— Bien sûr qu'il me plaisait ! En fait, je l'aimais beaucoup. Du moins je le croyais.

— Et qu'est-ce qui a cloché ?

Liz frotta vigoureusement la serviette contre son corps. Elle regretta que la conversation prît ce tour.

— Mon père est mort cet été-là. Steven se refusa à prendre... la responsabilité de ma famille.

— De Craig, vous voulez dire ?

Implacable, Gary retournait le couteau dans la plaie.

— C'est cela. Il ne voulait pas que Craig vive à la maison après notre mariage.

Gary médita en silence quelques instants.

— Et vos études ? Avez-vous pu les poursuivre ?

— Non, mais ce n'est pas grave. J'avais pendant les vacances un travail qui me plaisait beaucoup. A la mort de mon père, mon patron m'a proposé une place stable. Je tiens un magasin de vêtements en ville, expliqua-t-elle. J'aime beaucoup cela et un jour je souhaiterais reprendre ce commerce à mon compte.

Liz enroula la serviette autour de son buste et surgit devant le drap, aux yeux de Gary.

Il semblait réellement intéressé par le récit de sa vie.

— Vous avez abandonné vos études pour travailler dans une simple boutique ? interrogea-t-il d'un air dubitatif.

— Ce n'est pas une « simple » boutique. C'est un magasin de mode !

— Cela change tout...

— Vous ne semblez pas comprendre l'importance

que revêt Craig dans ma vie. Il est comme mon frère. Il aurait fait la même chose pour moi. Tous les sacrifices que j'ai endurés, y compris ma rupture avec Steven Blake, souligna-t-elle, sont bien peu au regard de cela.

Gary était visiblement de plus en plus sceptique.

— Ne soyez pas sotte, Liz. A l'heure qu'il est, Craig est peut-être marié à une jeune fille de dix-sept ans. Il n'a aucun sens des responsabilités.

Gary la déshabillait des yeux. La serviette devenait transparente. Liz n'avait qu'un geste à faire pour que le nœud se défît et que le tissu tombât au sol. Mais le courage lui manqua et elle craignit que Gary en fût conscient. Il ne pouvait se douter qu'elle était surtout retenue par la crainte de se trouver rejetée comme elle l'avait été une première fois.

— Jouerons-nous à pile ou face pour savoir lequel de nous aura le droit de passer la nuit dans le lit ? demanda-t-elle en tentant de reprendre sa dignité au mieux.

— Je serai très bien dans le fauteuil.

Liz se dirigea vers le sofa, tandis que Gary éteignait la lampe. La lueur du feu de bois les enveloppait d'un rougeoiement velouté. Un véritable magnétisme fit se rencontrer leurs regards, les retint prisonniers. Liz comprit alors que la moindre défaillance de l'un ou de l'autre entraînerait irrémédiablement leur perte. Peu importaient maintenant les épreuves qui les avaient fait échouer ici ensemble, Liz se rendait compte que Gary la désirait aussi fort qu'elle le désirait elle-même.

Elle ne lui demanda pas pourquoi il n'avait pas ôté ses vêtements trempés. Il n'aurait pas cru un instant à l'innocence de la question. Elle se glissa dans le lit et tira la couverture sur elle.

Incapable de se détendre suffisamment pour trouver le sommeil, elle entendait Gary bouger fréquemment dans son fauteuil, si près d'elle... Elle tenta de guetter un son qui pût la bercer, mais seul le craquement des braises parvint à ses oreilles. Elle se remémora la silhouette de l'homme dans les reflets du feu, la lumière dorée qui dansait sur ses cheveux châtains et soyeux, la brillance fiévreuse de ses yeux bruns, la chaleur irradiant de son corps.

Liz ferma les paupières pour tenter de chasser cette image, mais en vain. Mon Dieu, pensa-t-elle, je suis folle! Gary retrouvera Jasmina demain, puis repartira vers d'autres horizons.

— Vous ne craignez pas de prendre froid, Liz? Vous seriez mieux près du feu.

— Ça va bien, merci, répliqua-t-elle sans même réfléchir qu'elle aurait mieux fait de faire semblant de dormir.

— Vraiment? Alors pourquoi tremblez-vous?

S'efforçant de garder son calme, Liz réajusta la couverture par-dessus ses épaules.

— J'ai peut-être froid, en effet.

Rassemblant son courage, elle murmura :

— Réchauffez-moi, Gary...

— Liz, je vous désire, mais je ne voudrais pas...

— Vous ne serez lié en aucune façon, l'interrompit-elle. Je ne vous demanderai pas plus que ce que vous voulez offrir.

— Vous méritez davantage. Vous êtes en droit d'attendre mieux.

Dans le silence, Liz entendait sa respiration rapide. Elle écarta la couverture et dit doucement :

— Laissez-moi en être juge.

Après quelques instants, Gary se leva du fauteuil. A la lueur du feu, Liz le vit retirer sa chemise, exposant au rougeoiement de la braise son puissant torse au hâle profond. Après une hésitation à peine marquée, il dégrafa la boucle de sa ceinture. Il était maintenant dévêtu sous le regard de Liz.

Elle scruta chaque détail de ce corps magnifiquement sculpté. Les muscles vigoureux des bras, la toison fine et soyeuse du buste, le ventre plat, les hanches étroites et souples, lui donnaient une allure féline.

Dès que Gary s'allongea près d'elle, Liz l'accueillit dans ses bras. Ses mains vinrent effleurer le torse, les épaules, comme si elle avait voulu s'assurer que cette créature de rêve n'était pas un mirage.

— Liz, êtes-vous certaine... ?

Elle lui caressa les lèvres.

— Je n'ai jamais été aussi sûre de moi.

Elle sentit le souffle tiède de Gary sur sa bouche. Il lança la couverture au sol. La serviette les séparait encore. Avec tendresse il y enfouit son visage, et Liz pouvait sentir la chaleur qui émanait de lui.

Elle glissa tendrement sa main sous la nuque de Gary. Elle souriait, tandis que la brune chevelure de son compagon coulait entre ses doigts.

Gary atteignit le nœud qui retenait la serviette qu'il dénoua avec une délicatesse infinie.

Le corps de Liz s'offrait désormais entièrement. Au contact de sa main, elle frémit de plaisir.

Leurs bouches se joignirent à nouveau, plus intimement encore qu'aux instants précédents. La sensualité de la profonde caresse les unissait. Par la violence de son baiser il se livrait totalement à elle.

Les lèvres de l'homme se séparèrent un instant des siennes. Il promena son regard sur le corps que ses mains parcouraient avec douceur.

— Vous êtes encore plus belle que je ne l'avais imaginé, susurra-t-il.

Ses mains tendres et ardentes erraient sur les courbes de son buste. Un plaisir insoupçonné s'empara de Liz, au plus profond d'elle-même.

Liz ressentit un violent désir de répondre à ses caresses expertes. Toute réserve l'avait maintenant abandonnée. Ses doigts se mirent à jouer sur la puissante musculature de Gary la plus romantique des partitions. Elle couvrit à son tour de baisers fous le buste doré qui faisait naître en elle un désir si suave.

Redressé un instant pour reprendre son souffle, il plongea de nouveau son visage au creux de son épaule. Puis il se laissa rouler sur le dos. Le corps élancé de Liz vint se poser sur le sien.

Lorsqu'elle releva la tête, sa longue chevelure cuivrée enveloppa leurs épaules. Son buste luisait sous la lumière du feu de bois rougeoyant comme un crépuscule tropical. Gary l'attira à lui avec tendresse et étreignit fiévreusement sa chair nacrée.

Ardemment, il l'attira contre lui pour retrouver le miel de ses lèvres.

— Aimez-moi, murmura Liz dans une plainte à demi étouffée par la bouche collée contre la sienne. Oh! Gary, aimez-moi.

La brûlante demande surgissait du tréfonds de son inconscient où dormaient depuis des années ses rêves les plus intimes.

Leurs deux corps étaient si intimement liés qu'elle eut le sentiment que leurs êtres se fondaient. Jamais elle n'avait imaginé une telle richesse de sensations. Son esprit voguait maintenant sur des horizons trop lointains pour qu'elle fût en mesure de comparer à quoi que ce soit un moment aussi inoubliable. Son amour la consumait au point qu'elle était devenue tout entière une torche dans la nuit.

Quand le double cri de leur extase déchira le silence, on n'eût pu dire lequel était le plus profond, tant leur union était parfaite. Liz eut en un éclair le pressentiment que ce moment était unique dans une vie. Ils n'étaient plus eux-mêmes. Un flot irrésistible les avait emportés dans des espaces insoupçonnés.

Liz reposait dans les bras de son compagnon. Tandis que leur souffle peu à peu apaisé rendait à nouveau perceptible le calme nocturne de la cabane, la jeune femme redevint attentive aux craquements du feu. Le coassement d'une grenouille lui parvint, puis le chant d'un criquet. Enfin résonnèrent tout contre elle les battements du cœur de Gary.

Ils ne s'étaient pas adressé un mot depuis que leurs corps s'étaient séparés. Liz s'en serait voulu de rompre le silence magique qui les enveloppait.

Il la serra contre lui.

— Que vais-je faire de vous, adorable sorcière ?

Pour toute réponse, elle déposa un baiser sur sa poitrine.

— Liz, souffla-t-il, le regard suppliant, en pressant à nouveau ses lèvres sur les siennes.

Il avait prononcé son nom comme un appel. Une vague profonde de désir l'envahissait.

Les yeux de la jeune femme brillaient d'un éclat redoublé. Dieu, songea-t-elle, je ne me lasserai jamais de cet homme !

Il enfouit son visage dans les boucles ruisselantes de sa chevelure cuivrée. L'étincelle de son regard témoigna du désir intense qui venait de se rallumer.

— Vous n'êtes pas qu'une amante, Liz, vous êtes une femme. Je ne puis imaginer ce que sera ma vie sans vous.

Ce fut plus que Liz n'en pouvait supporter. Elle se blottit dans son cou afin qu'il ne voie pas l'angoisse qui naissait dans ses yeux. Elle voulait qu'il reste. Elle voulait qu'il partage sa vie, mais elle savait bien qu'elle ne pouvait le lui dire. Elle lui avait promis de ne rien lui demander. Elle se jura de tenir parole.

Chapitre 4

LIZ PORTA LES YEUX VERS LA PENDULE POSÉE SUR LA cheminée. Il était plus de minuit. Cela faisait maintenant trois heures qu'elle attendait d'éventuelles nouvelles de Gary. Elle ne savait à quel moment il devait venir.

L'idée de refuser cette rencontre traversa son esprit. Mais elle ne résistait pas à l'envie de découvrir la raison d'un retour si tardif et si inattendu. Gary n'était pas du genre à agir sur un coup de tête. Non, sa démarche devait avoir un objectif bien précis, strictement personnel, puisqu'il ne l'avait pas exposé à Roy. S'il était à Washington, ce pouvait être aussi pour motif professionnel. Gary n'avait sûrement pas une seule fois repensé à elle depuis leur séparation, après la nuit dans la cabane.

Elle rapporta la théière à la cuisine, puis se dirigea vers la salle de bains du premier étage pour se rafraîchir. La journée en mer avait été agréable mais épuisante. Elle avait maintenant besoin d'un sommeil réparateur.

Elle se glissa dans la chambre de son fils, discrète-

46

ment par crainte de le réveiller car elle ne voulait en aucune façon perturber sa nuit. Avec émotion, elle regarda Andy dormir.

Tandis qu'elle se brossait les cheveux, démêlant une à une ses mèches mouillées par la douche, son esprit errait de nouveau vers le souvenir de son inoubliable nuit avec Gary. Les paupières closes, elle sentait revivre dans ses boucles les doigts de son compagnon d'un soir. C'était comme si sa chevelure avait conservé la trace des caresses qui avaient ponctué chacune de leurs étreintes. Elle se souvenait qu'aux premiers rayons de l'aube ils s'aimaient encore. Seul l'épuisement ultime était venu à bout de leur désir insatiable.

Eveillée la première, Liz avait découvert le monde sous un autre jour. Elle s'était glissée sans le réveiller hors de l'étreinte de Gary pour aller se faire un café. Elle ne retrouverait plus de sitôt un tel plaisir au plus profond de son corps. Comment aurait-elle imaginé qu'une nuit d'amour lui suffirait pour être rassasiée de cet homme ? Tandis qu'elle le regardait dormir, l'idée de leur séparation faisait naître en elle une souffrance qui n'était pas près de se calmer.

Elle avait eu le temps de s'habiller et de se faire un second café avant le réveil de Gary. Tout d'abord surpris de voir le lit vide, il sourit à Liz qui lui tendait une tasse fumante.

— Suis-je encore en train de rêver ? murmura-t-il d'une voix ensommeillée.

Liz lui caressa la joue.

— Je vous conseille de boire rapidement. Il est déjà tard et Craig doit être rentré à la maison.

Le visage de Gary se crispa.

— Cela ne peut attendre ? J'ai envie de vous, Liz...

Un flot de désir monta en elle. Mais en quittant les bras protecteurs de son amant, Liz avait pris une décision inéluctable. Il était inutile de repousser l'échéance.

Gary s'étonna de sa réticence.

— Vous regrettez ?

Bien qu'elle s'efforçât de ne pas laisser paraître sa peine, Liz ne fut guère convaincante.

— Je ne me sens pas en forme. Je suis désolée.

— Ma chérie, je ne voudrais pas que vous gardiez de cette nuit un remords quelconque.

Elle vint effleurer son visage de ses lèvres.

— Je n'ai aucun remords et souhaite de tout mon cœur qu'il en soit de même pour vous.

— Beaucoup de choses dépendent du travail auquel je dois m'atteler aujourd'hui, Liz. Ce n'est pas moi qui l'ai voulu ainsi. Mais soyez persuadée que tout au long de cette nuit rien ne comptait dans mon esprit que nous deux.

Liz esquissa un faible sourire pour chasser les larmes qui perlaient au bord de ses paupières.

Avec le beau temps, la mer était redevenue d'huile. Leur retour fut rapide. Liz n'eut guère le temps d'imaginer comment se déroulerait la confrontation imminente avec Craig et Jasmina. Elle pensa néanmoins que l'attitude de Gary ne pouvait que s'adoucir, bien qu'ils n'aient pas abordé le sujet depuis leur réveil.

— Avez-vous toujours l'intention de sévir à l'encontre de mon cousin au cas où quelque chose se serait passé entre eux ?

Le regard dont il la gratifia prouva à Liz qu'il n'avait pas changé d'opinion. Gary soupira :

— Je réserve mon jugement. J'attends de voir si Craig se montre coopérant. C'est tout ce que je peux vous promettre.

— C'est-à-dire s'il accepte l'annulation sans broncher ?

— Quelque chose comme ça.

Elle craignit de l'avoir froissé en abordant la question si brutalement.

Ils ne s'adressèrent plus un mot jusqu'à la crique.

Avant même d'accoster, elle aperçut la route qui contournait la maison. Une voiture de police stationnait devant la porte, où elle distingua la silhouette d'un agent.

— Mon Dieu !

Son visage devint livide. Le pressentiment d'un effroyable événement fit tressaillir tout son corps.

Gary n'avait pas coupé le moteur qu'elle avait déjà bondi à terre. Elle eut beau courir de toutes ses forces, Gary la rattrapa au moment où elle parvenait à la hauteur de l'agent.

— Qu'y a-t-il ? Qu'est-ce qui ne va pas ? Où est Craig ?

Le policier réajusta son chapeau.

— Mademoiselle Mallory ?

— Oui, oui. Je suis Liz Mallory. C'est au sujet de Craig ? Il a des ennuis ? Que s'est-il passé ?

Instinctivement, Gary entoura les épaules de la jeune femme.

— Voyons, Liz, laissez monsieur s'expliquer.

Elle sentait à son bras qu'il frémissait autant qu'elle.

— Je m'appelle Gary Logan. Ma pupille Jasmina Grant quitte parfois la pension pour le week-end. Je pense qu'elle était avec Craig Mallory.

— Mlle Grant est sauve, mais il y a eu un grave accident.

Le policier tourna la tête vers Liz.

— J'ignore l'importance des blessures de votre cousin mais son état était critique lors de son transport en ambulance hier soir. La jeune fille a été gardée toute la nuit en observation. Je pense qu'elle est encore à l'hôpital avec lui.

Liz n'entendit même pas la fin de l'explication. Elle avait retenu seulement que Craig était gravement blessé. Gary la conduisit dans sa voiture, à demi consciente.

Débouchant à toute allure devant l'hôpital, ils se précipitèrent à l'étage que leur indiqua l'hôtesse. Les yeux de Liz se posèrent sur la jeune fille blonde assise dans la salle d'attente. Dès qu'elle aperçut Gary, Jasmina se blottit contre son épaule en sanglotant nerveusement.

— Je suis désolée... Je suis désolée... Je te jure que ce n'est pas ma faute. Je ne sais pas ce qui s'est passé. La voiture a dérapé et... une autre arrivait en face. Je t'en supplie, Gary, dis-moi que tu ne m'en veux pas. Je ne partirai plus. Je le jure !

Gary referma ses bras sur la jeune fille, posa sa joue sur son front, glissa la main dans ses longs cheveux dorés.

La photo était bien ressemblante, pensa Liz. Jasmina Grant possédait en effet ce type de beauté auquel ne résistent pas les hommes. Ses yeux d'un bleu profond, presque violet, avaient une expression candide. Elle portait un jean moulant et un corsage dont l'échancrure affinait encore son cou. Elle ressemblait à une brebis égarée.

— Calme-toi, mon ange, lui répondit Gary en prenant son frêle visage entre ses mains pour le tourner vers le sien.

Liz fut pétrifiée. Quelques heures plus tôt, c'est elle-même que Gary caressait de cette façon. Elle dévisagea Jasmina. Et soudain, un élément nouveau vint compléter le puzzle : elle comprit que la pupille de dix-sept ans était follement amoureuse de Gary.

— Tu vas me dire tout ce qui s'est passé, Jasmina, pria-t-il. Si tu es en quoi que ce soit responsable de cet accident, je ne dois pas l'ignorer.

Comment pouvait-il faire montre d'une telle insensibilité ? songea Liz. Tout ce qui comptait pour lui, c'était cette fille, et de savoir si la loi risquait de lui imputer l'accident ! Elle intervint brutalement :

— Où est Craig ? Dans quel état est-il ?

Si Gary ne l'avait retenue, la jeune fille se serait ruée sur Liz. Elle répondit en hurlant :

— Je ne sais pas et je ne veux pas savoir ! Il a failli me tuer !

Sans réfléchir, Liz lui envoya une gifle violente. Un silence pesant s'installa entre eux trois. La joue de Jasmina devenait écarlate. Liz regrettait son geste, mais elle aurait voulu pleurer à la fois sur le sort de Craig et sur le sien. Elle venait de comprendre, trop tard, que ce qui s'était passé entre Gary et elle n'aurait jamais dû avoir lieu. Jasmina était la seule personne pour qui Gary éprouvât un intérêt quelconque. Il lui attrapa vigoureusement le bras comme pour l'empêcher de frapper à nouveau.

— Maintenant je sais qui vous êtes, hurla Jasmina, folle de colère. Vous êtes la garce tyrannique ! Craig m'a parlé de vous. Il ne peut pas avoir une petite amie sans que vous en soyez jalouse ! Eh bien, si vous tenez tant à lui, il est à vous !

— Jasmina, pour l'amour du ciel ! interrompit rageusement Gary en lâchant le poignet de Liz pour se tourner vers sa pupille. Tu es hors de toi ! Ne dis pas des choses que tu pourrais regretter plus tard.

Jasmina laissa échapper un sanglot et revint se réfugier contre son tuteur. Gary adressa un regard implorant à Liz. S'attend-il à ce que j'éprouve de la sympathie pour cette fragile créature, monstrueusement égoïste ? se demanda-t-elle.

Elle détourna les yeux, incapable de supporter plus longtemps la vue de Jasmina dans les bras de Gary, prit le couloir qui menait à l'infirmerie. On la conduisit immédiatement à la salle de réanimation.

— Ne restez pas plus de quelques minutes, lui recommanda l'infirmière. Je vais essayer de joindre le professeur afin qu'il vous donne des nouvelles de votre cousin. L'état du patient nécessite qu'on ne lui adresse pas la parole. Il a besoin du plus grand calme.

Pour l'instant Craig était assoupi. Un corset le prenait jusqu'aux épaules, tandis que sa tête brune disparaissait sous les bandages. Des tubes couraient tout le long de son corps et des aiguilles étaient plantées dans ses poignets. Il a l'air tranquille, remarqua Liz. Sans doute ne se rend-il pas encore compte de ce qui s'est passé.

Ses paupières battirent lorsqu'elle lui toucha la main. Craig la regarda un long moment puis referma les yeux comme sous l'effet d'une forte douleur.

— Jasmina... ça va... vraiment bien ? murmura-t-il.

Le cœur de Liz se serra.

— Oui, Craig, très bien, je t'assure. Je viens juste de parler avec elle. Elle est dehors avec... quelqu'un à ses côtés.

— Gary Logan, précisa-t-il, d'une voix étrangement décolorée.

Il parlait de cet homme comme s'il le connaissait bien... et éprouvait pour lui une haine profonde.

— Il est venu hier à la maison après que Jasmina s'est enfuie de l'école. Il était très... inquiet pour elle, articula-t-elle le plus doucement qu'elle put en pesant chacun de ses mots.

— Dis-lui... partir loin. Veux jamais plus... la revoir.

Le moindre mot lui demandait un effort considérable. Liz pressa ses doigts affectueusement sur la paume de Craig pour tenter de le réconforter. Mais il la retira dans un sursaut.

— Ne te tracasse pas, Craig. Occupe-toi de te rétablir au plus vite. Nous avons tout le temps d'en reparler...

— Va-t'en, gémit-il tandis qu'une larme glissait

au coin de son œil. Laisse-moi... mourir. Je t'en prie... laisse-moi...

Il retomba dans le sommeil. Liz s'assit près du lit et pleura en silence. Savoir qu'elle avait passé la nuit dans les bras d'un étranger alors qu'il gisait ici à deux pas de la mort lui était insupportable.

Quand l'infirmière vint lui annoncer la fin de la visite, Liz la suivit docilement. Dans la salle d'attente, le docteur parlait avec Gary, mais Jasmina n'était pas en vue.

— L'état de Craig va nécessiter les plus grands soins, annonça le professeur avec franchise. Comme je le disais à M. Logan, il a des fractures multiples mais il est trop tôt pour évaluer le handicap qui lui restera. Nous pouvons au moins nous réjouir de ce que le cerveau n'ait pas été touché.

Liz s'effondra sur le banc.

— Etes-vous sûr qu'il guérira ?

Le médecin hésita quelques instants.

— Cela dépendra de lui, mademoiselle Mallory. Je n'ai pas besoin de vous dire quel est son état d'esprit, puisque vous lui avez parlé. Bien sûr, nous ferons tout ce que nous pourrons, mais des semaines et des mois de dur travail nous attendent, vous et nous.

Quand le docteur fut parti, Gary s'avança vers la jeune femme pour lui prendre la main.

— Ça va ?

Elle se douta que son visage reflétait l'angoisse qui la tenaillait. Elle fit un effort pour le rassurer, puis se dirigea vers la sortie. Gary la suivit.

— Je suis désolé de ce qu'a dit Jasmina. Elle est sous le choc. Essayez de comprendre son état, je vous en supplie.

Dans l'impossibilité de répondre, Liz n'avait en tête que le sort de Craig.

— Il a sauvé la vie de Jasmina, continua Gary. Elle vient de me le confier. Quand il a vu qu'ils ne pourraient éviter le choc, il s'est jeté contre elle pour s'interposer. C'était sur le chemin du retour. Oui, il la ramenait au pensionnat.

Liz fut frappée par la sympathie que témoignait soudain Gary envers son cousin. Il était malheureusement trop tard.

— Ecoutez, Liz, je suis confus de ce qui s'est passé. Je me suis trompé au sujet de Craig. Je ferai pour vous deux tout ce qui sera en mon pouvoir.

Liz ferma les paupières. S'il n'y avait pas eu l'accident, Gary l'aurait déjà abandonnée...

— Vous ne pouvez rien pour nous. Partez et laissez-nous tranquilles, c'est tout.

— Je ne veux pas vous laisser. Pas comme ça.

Liz fit à nouveau des efforts désespérés pour retenir ses larmes.

— Vous n'avez aucune raison de rester.

Et vous avez de nombreuses raisons de partir, songea-t-elle en voyant Jasmina qui débouchait au fond du couloir et qui ralentissait son pas en les apercevant. Elle se doutait que Gary et sa jeune pupille n'avaient pas à proprement parler une liaison, mais leur attachement mutuel était évident. Leur intimité était plus forte que l'attrait physique qu'elle partageait depuis si peu de temps avec Gary. Savoir qu'il allait maintenant disparaître de sa vie lui faisait envier Jasmina.

— Je devine combien la situation est pénible pour vous, Liz. Je ne veux pas que vous l'affrontiez seule. Je peux rester aussi longtemps que vous aurez besoin de moi. Je veux rester pour vous, Liz.

Combien de temps ? se demanda-t-elle. Il envisageait sans doute quelques jours, peut-être une semaine.

Elle lui répondit en masquant le tremblement de ses mains.

— Il vaudrait mieux que vous partiez tout de

54

suite. Vous... et Jasmina. Elle est sous votre garde, Gary, pas nous.

— Cela n'a rien à voir. Liz, ne croyez pas que cette nuit ne fut pour moi...

— Ça suffit ! Ôtez cette fille de ma vue. Elle a besoin de vous. Moi pas !

Gary l'attira avec force contre lui.

— Si je pensais une minute que vous parliez sérieusement, je vous battrais.

Gary n'avait pas vu Jasmina approcher. A la vue du couple, la jeune fille resta clouée sur place.

— Souvenez-vous seulement, Liz, que Jasmina et Craig ne seront pas toujours entre nous. Et quand le jour viendra...

Il interrompit sa phrase pour déposer un baiser furtif sur les lèvres de la jeune femme et s'éloigna aussitôt.

Prenant Jasmina au passage, il passa son bras autour de sa taille frêle pour l'entraîner vers les ascenseurs. Liz demeura un long temps sans bouger, les yeux rivés vers la porte qui s'était refermée sur eux. Le souvenir des dernières phrases de Gary ne lui revint que petit à petit. Elle fit quelques pas avant de se rasseoir sur le banc. Malgré les assurances que contenaient les mots qu'elle venait d'entendre, elle devait maintenant affronter la solitude la plus extrême qu'elle ait jamais connue.

Plus les semaines passèrent et plus les promesses de Gary apparurent dérisoires. Il avait parlé sous le coup de l'émotion. Peut-être même avait-il tout simplement déclaré ce que les convenances le contraignaient de dire.

C'est alors que Roy fit irruption pour l'assister durant cette époque particulièrement pénible. Au début, Liz ignorait s'il était au courant de ce qui s'était passé entre eux. Il ne fut pourtant pas surpris d'apprendre que Gary était le père de l'enfant qu'elle attendait.

— Gary est un homme probe, lui affirma-t-il au cours d'un dîner auquel il l'avait conviée pour discuter calmement de leurs affaires. Vous pourrez compter sur lui.

Deux mois s'étaient écoulés depuis l'accident sans qu'elle eût reçu la moindre nouvelle de Gary. Elle savait par Roy qu'il se souciait de ses intérêts matériels, mais jamais les lettres ne contenaient le moindre passage personnel pour elle.

— Vous souhaitez cet enfant ? demanda soudain Roy sans toutefois laisser transparaître la moindre opinion à ce sujet.

— Oui.

— Je vais donc en informer Gary.

S'ils n'avaient pas été dans un lieu public, elle aurait sans doute laissé libre cours à ses larmes.

— Je ne peux pas le forcer à m'épouser. Gary n'a jamais prétendu m'aimer. Je ne veux pas lui demander de faire semblant. Pas après...

Elle ne put continuer. Comment expliquer à Roy ce qui s'était passé cette nuit-là ? Comment pourrait-il comprendre ?

— Il y a une possibilité, Liz. Vous pouvez vous marier sans qu'il ait besoin de revenir. Un simple arrangement administratif peut faire de vous Mme Gary Logan. Un mariage par procuration est parfaitement légal. Vous signez les papiers, Gary fait de même de son côté, et l'enfant porte le nom de Gary.

L'essentiel n'est-il pas que mon enfant ait un père ? songea Liz.

— Pensez-vous qu'il serait d'accord ?

Roy n'hésita pas longtemps.

— Je suis presque sûr que oui. La vie de Gary est plus complexe qu'il n'y paraît, ajouta-t-il d'un ton mystérieux.

A l'évidence, il lui cachait quelque chose.

— Ne croyez pas que vous êtes la cause de son

absence, Liz. Gary est retenu de façon impérative depuis... oui, depuis l'accident.

Liz en conclut avec amertume qu'il s'agissait de ses activités professionnelles.

— Je souhaite l'épouser, Roy, admit-elle avec un profond soupir, mais dans la mesure où il accepte le mariage par procuration. Je ne veux plus le revoir.

Moins de cinq mois après, Andy naquit prématurément. Il était très faible et de santé fragile, mais Liz souhaitait de toute son âme que l'enfant survive.

Le jour de sa sortie de clinique, Roy l'attendait dans la salle d'attente.

— Gary sait-il qu'il a un fils ?

Roy parut gêné.

— Oui, bien sûr, Liz. Je le lui ai annoncé aussitôt. Il m'a chargé de vous assurer que si le bébé ou vous-même aviez besoin de quoi que ce soit... il faudrait le lui faire savoir.

Une porte se referma sur le passé de Liz. Le cœur glacé, elle rejoignit l'infirmière qui lui tendait son enfant.

Des voix parvinrent à l'oreille de Liz. La lumière du jour la surprit. Elle constata qu'elle venait de passer la nuit dans le fauteuil, au pied du lit d'Andy. Les cloches sonnant au loin lui rappelèrent que c'était dimanche.

Elle tendit l'oreille, persuadée qu'il s'agissait d'une conversation entre Craig et Edith, lorsqu'elle entendit plus distinctement la brave femme :

— Si je m'attendais à vous revoir après tout ce temps ! Quelque chose me disait, à mon réveil, qu'un grand jour se préparait ! Attention à ne pas réveiller Andy et sa maman, ils ont bien besoin de sommeil tous les deux.

— Ne craignez rien, je patienterai.

Lorsqu'elle entendit la voix chaude et profonde de Gary, Liz frissonna.

— Je monte juste voir mon fils, madame Kirk.

Il ne pouvait signifier plus clairement le peu de cas qu'il faisait de Liz.

A cet instant précis, elle ouvrit la porte de la chambre. Leurs regards se mêlèrent.

— Bonjour, Gary, dit-elle calmement en rejetant sur ses épaules ses cheveux défaits.

Sa robe de chambre entrouverte laissait voir un pyjama de soie rose pâle. Elle renoua sa ceinture.

— Bonjour, Liz. Roy vous a prévenu de mon retour, je suppose ?

— Oui, en effet. Vous semblez en forme !

Elle remarqua que le visage de Gary ne portait aucune marque du temps écoulé.

— J'aurais aimé pouvoir en dire autant de vous, répondit-il avec un regard scrutateur qui la rendit mal à l'aise. Mais vous avez maigri.

Elle serra sa ceinture comme pour se protéger, puis se tourna vers Andy. Comme il ressemblait à son père ! Résistant à l'envie de réajuster ses cheveux emmêlés par le sommeil, elle s'apprêta à quitter la pièce, quand Andy fut réveillé par leurs voix.

— Excusez-moi, je vais m'habiller. Andy est souffrant, je vous demanderai de ne pas rester trop longtemps avec lui.

Depuis la salle de bains, elle entendit les premiers mots du petit garçon à son réveil. Il ne montra aucune frayeur devant la présence de cet étranger.

— Vous êtes qui ? marmonna-t-il, encore engourdi par le sommeil.

— Bonjour, Andy, répondit Gary sans hésitation. Je pense que ta maman t'a prévenu de ma visite.

Pour ne pas écouter la suite de la conversation, Liz ouvrit à fond les robinets et se livra hâtivement à quelques ablutions avant de réapparaître.

Pourquoi enfilait-elle aujourd'hui un chandail et une jupe au lieu de ses habituels jean et tee-shirt ?

Loin d'elle pourtant l'idée de chercher à faire le moindre effet sur Gary.

Elle apprécia le doux contact du cachemire sur sa peau et la façon dont le vert pâle du chandail rappelait la couleur de ses yeux. Elle rejeta ses cheveux en arrière, en les maintenant avec deux élégantes barrettes. Sa coiffure très simple accentuait le caractère encore juvénile de son visage.

Pour tout maquillage elle se contenta d'une touche de rouge à lèvres. L'air du large et le soleil avaient délicatement doré sa peau, ce qui lui sembla suffisant pour la circonstance.

Dans la chambre d'Andy, Liz retrouva Gary assis sur le lit.

— Ne bouge pas, mon petit, lui chuchotait-il en déboutonnant son pyjama.

Liz fut pétrifiée en remarquant la pâleur de son fils, ses yeux fiévreux. Elle posa la main sur son front, tandis que Gary tâtait son ventre.

Andy poussa un cri de douleur.

— Mon Dieu ! s'exclama-t-elle en un soupir à peine audible.

Elle lut la même inquiétude sur le visage de Gary.

— Ta maman et moi allons te conduire à l'hôpital, mon petit.

La crainte de Liz redoubla devant la douceur du ton qu'employait Gary pour ne pas effrayer l'enfant. Andy cherchait pourtant désespérément à accrocher le regard de sa mère pour y trouver quelque réconfort.

Elle tenta de le rassurer :

— Ça ira, mon chéri !

Gary prit l'enfant dans ses bras, après l'avoir enveloppé d'une couverture.

— Tu as confiance en moi, fiston ?

— Tu vas me guérir ?

— Je te le promets, assura son père.

Ils franchirent la porte que Liz venait d'ouvrir.

Dans la voiture, Gary installa Andy à l'arrière, sur les genoux de sa mère. Anxieuse, Edith qui les avait suivis jusqu'à la grille les regarda partir avec des yeux embués.

— J'ai mal, maman.

Andy essayait de dégager son petit bras brûlant de la couverture. Liz n'avait pas pris le temps d'enfiler une veste, mais l'émotion l'empêchait de sentir l'air frais du matin.

— Où as-tu mal, mon chéri ?

Liz cherchait à ne pas penser aux conséquences possibles d'une appendicite chez un enfant si jeune.

— Au ventre, maman, je te l'ai déjà dit hier.

Liz surprit dans le rétroviseur le regard de Gary. Il lui en voulait, elle s'en doutait bien. Il devait lui reprocher une insouciance coupable.

— Nous ne tarderons pas à atteindre l'hôpital, mon chéri.

Liz couvrait de baisers le front moite de son enfant.

— Est-ce que je vais mourir ?

Toute tremblante elle-même, Liz le berçait.

— Mais non, voyons, ne dis pas des choses pareilles !

Les phalanges de Gary étaient blanches tant il crispait ses mains sur le volant.

Liz trouva le trajet interminable, torturée par les gémissements de douleur de son fils et le reproche muet de Gary. L'affront était d'autant plus dur à supporter après ces trois ans où il n'avait pas manifesté la moindre inquiétude à leur sujet.

Enfin ils atteignirent le porche des entrées d'urgence. Sans même couper le moteur, Gary bondit et prit Andy dans ses bras.

— Allez garer la voiture, nous nous retrouverons à l'intérieur.

Liz n'avait pas eu le temps de placer un mot. Elle n'eut plus qu'à exécuter l'ordre. Peu habituée à une voiture de ces dimensions, elle éprouva quelques difficultés pour effectuer les manœuvres.

Elle déboucha dans la salle des urgences plus tard qu'elle ne l'aurait souhaité.

Personne en vue. Liz revint s'adresser à l'accueil.

— On vient d'amener mon fils. Savez-vous où il a été conduit ?

— Andrew Logan ? demanda l'hôtesse, consultant ses papiers.

— C'est cela. Est-ce qu'on l'a examiné ?

— Le docteur le prépare pour l'opération. Votre mari m'a dit que vous pourriez me fournir les informations dont nous avons besoin à son sujet. Il est parti avec l'enfant.

— L'intervention ne pouvait pas attendre.

— C'est absolument vital, madame Logan.

Le temps qu'elle avait passé à garer la voiture avait suffi pour que l'enfant lui fût retiré.

Liz tenta de se concentrer sur les formulaires médicaux à remplir. Une dizaine de minutes après, elle les rendit à l'employée.

— Le Dr Foggarty a choisi le chirurgien ? demanda-t-elle.

— Le Dr Foggarty ? Je peux l'appeler si vous voulez, mais votre mari a bien spécifié que l'on consulte un pédiatre. C'est le Dr Petterson qui s'occupe de l'enfant.

Le Dr Petterson était l'opposé du vieux médecin en qui Liz mettait toute sa confiance. Il vient à peine de terminer ses études, pensa-t-elle en le voyant arriver avec Gary.

— Pour l'instant, je ne peux pas me prononcer, monsieur Logan, disait le jeune médecin. Vous avez eu raison de l'emmener d'urgence, vous lui avez sans doute sauvé la vie. Je vous donnerai mon diagnostic précis quand nous aurons terminé.

— S'il vous plaît, je veux voir mon fils, déclara Liz.

— Je regrette, mais il est dans la salle d'opération. Détendez-vous, madame.

Dès que le médecin se fut éloigné, Gary laissa éclater sa colère.

— Edith m'a expliqué qu'il était malade depuis trois semaines. Quand diable comptiez-vous faire quelque chose, Liz ? Un matin, en vous réveillant, vous l'auriez trouvé mort !

— Je vous signale qu'Andy a vu un médecin, comme chaque fois qu'il est malade. D'ailleurs cela ne vous regarde pas ! ajouta-t-elle, furieuse.

— Il est mon fils, aussi. Contrairement à ce que vous semblez penser, je lui suis attaché !

Liz ne manquait pas d'arguments à lui opposer, mais quelque chose la retint. Peu importait ; dans l'immédiat, il s'agissait de tout faire pour sauver Andy, sans gaspiller ses forces.

— Andy n'a jamais été très robuste. J'allais appeler un spécialiste demain, s'il n'y avait pas d'amélioration.

— Excusez-moi. Des paroles blessantes m'ont échappé. J'aurais tant voulu vous retrouver en d'autres circonstances...

Liz ne répondit pas. Elle fit quelques pas pour aller s'asseoir sur un des bancs disposés pour les familles, un banc comme celui où elle s'était assise quatre ans auparavant. Gary alla lui chercher un café au distributeur.

Après un temps qui leur sembla interminable, le Dr Petterson revint, souriant :

— Nous avons eu de la chance. Un jour de plus et c'était trop tard. Il ne mettra pas longtemps à se réveiller. Allez donc manger quelque chose, et revenez dans une heure.

Gary lui tendit la main, rassuré.

— Merci, docteur. Nous allons suivre vos conseils.

— Ça va mieux, madame Logan ? lui demanda le médecin avant de les quitter.

Elle le remercia cordialement.

Lorsqu'ils furent seuls, Gary se tourna vers elle. Il l'étudia avec étonnement ; il s'était attendu que ses nerfs lâchent.

— Allons prendre un petit déjeuner, Liz.

Il la conduisit vers les ascenseurs.

Chapitre 5

LA CAFÉTÉRIA DE L'HÔPITAL ÉTAIT BONDÉE D'EMPLOYÉS
venus y faire une pause, tandis que le self regorgeait
de visiteurs pressés de prendre un sandwich ou un
plat chaud. Gary et Liz choisirent de s'installer
plutôt au salon de thé, dont l'élégance et le calme
fournissaient une détente appréciable. La salle était
pratiquement déserte. Une jeune fille en pimpant
uniforme bleu marine vint prendre aussitôt leur
commande.

— Que prendrez-vous, Liz ? demanda Gary.

— Des toasts et un café, cela ira très bien.

Sans sourciller, il commanda :

— Des œufs brouillés, du bacon, des toasts et une
coupe de fruits, si vous en avez. Et la même chose
pour ma femme, s'il vous plaît.

Liz le regarda, stupéfaite, mais le sourire de la
serveuse lui cloua la parole. Il était évident que la
jeune fille l'enviait.

Elle ne s'en offusqua pas, tenant elle-même Gary
pour l'homme le plus séduisant qu'elle eût jamais
rencontré. Ses yeux bruns avaient toujours cet éclat

pénétrant qui l'atteignait au plus profond d'elle-même. Jadis, ce regard l'avait fascinée, mais elle en avait trop souffert pour se l'avouer aujourd'hui. Elle ne pensait plus être éprise de lui, même si elle devait reconnaître que sa présence ne la laissait pas indifférente.

Gary portait une chemisette bleu clair sous un complet sombre. Par l'ouverture du col, Liz pouvait voir les premières boucles brunes de sa toison soyeuse. Elle se sentit submergée par un flot de souvenirs qu'elle ne parvenait plus à contenir. La violence de leur nuit d'amour revint assaillir sa mémoire avec autant de force que le soir précédent. Elle lutta contre les images qui envahissaient son esprit, car elle s'était juré de ne plus laisser transparaître sa vulnérabilité, ni devant Gary ni devant aucun homme.

Il interrompit sa rêverie :

— Je suppose que Craig vit toujours chez vous ? demanda-t-il.

— Oui, bien sûr.

— Bien sûr... Comment va-t-il ?

— Ça va. Oui, ça va. Vous aussi, à ce que je vois ? lança-t-elle précipitamment, craignant qu'une conversation sur Craig ne les fît dériver vers un passé qu'elle voulait à tout prix écarter d'eux.

— Vous me l'avez déjà dit. Et je vous ai répondu que vous me sembliez plus mince qu'autrefois. Mais toujours aussi belle.

La serveuse était en train de déposer le café. Bien qu'elle fît semblant de ne rien entendre, elle laissa échapper un roucoulement.

Liz prit la tasse entre ses mains.

— Le travail m'a beaucoup accaparée. Et puis, c'est la mode d'être mince.

— A propos, vous avez acheté le fonds de votre boutique ?

— Vous le sauriez. Vous payez pour être renseigné.

— Vous m'aviez dit que vous espériez l'acquérir un jour. Vous vous y plaisez ?

— Oui, merci.

Sa politesse impersonnelle contrariait Gary. Mais quelle réaction espérait-il ? se demanda-t-elle. Elle avait refusé les cadeaux généreux qu'il lui avait proposés, surtout depuis la froide réponse dont il l'avait gratifiée à la naissance de son fils. « Si vous ou l'enfant avez besoin de quelque chose, faites-le-moi savoir. » C'était le seul message qu'elle avait reçu de lui, par l'intermédiaire de Roy. De toute sa vie elle n'oublierait jamais combien ces quelques mots l'avaient blessée.

— Vous ne m'avez pas demandé pourquoi j'étais ici, Liz. Vous n'avez pas la moindre curiosité ?

— Je suppose que votre visite est liée à votre travail. Roy ne semblait pas vraiment au courant.

— Il l'est maintenant. Je l'ai vu ce matin. Je voulais vérifier certaines choses de mes propres yeux avant de vous en parler.

— Je ne comprends pas, s'étonna Liz en fronçant les sourcils.

— Moi, je pense que si. Vous avez une liaison avec Roy, n'est-ce pas ? C'est la raison pour laquelle vous avez subitement souhaité reprendre votre liberté !

Un jet d'eau glacé ne l'aurait pas surprise davantage. Elle resta bouche bée.

Gary se pencha vers elle comme pour donner plus de poids à ses phrases.

— Je vous dirai la même chose qu'à lui, Liz. Notre mariage est peut-être peu conventionnel, mais nous avons un enfant. Il n'est pas question que je divorce sans être sûr que ce soit dans son intérêt.

— Mais c'est impensable ! Je n'ai pas de liaison avec Roy ! Et puis il est marié !

Visiblement, Gary ne la croyait pas.

— Il est légalement séparé de sa femme, comme vous êtes séparée de corps avec votre mari. Cela rend la situation plus confortable, n'est-ce pas ?

— Comment osez-vous m'accuser d'une chose pareille ? Comment osez-vous ?

Gary ne parut pas troublé. Il sourit.

— Mais je viens de le vérifier. Je peux lire dans vos merveilleux yeux d'émeraude. Ils sont le miroir de votre âme, ma douce sorcière. Et votre âme m'appartient.

— Vous parlez comme si je l'avais vendue au diable !

— Pas vendue, non, ma chérie. Donnée. Mais j'ai l'intention de la garder jusqu'à ce que j'en sois rassasié.

Liz déjeuna très légèrement, se contentant d'avaler une grande quantité de café. Gary en revanche mangea de bon appétit. Il fête sa victoire, songea-t-elle. Liz se demandait d'où pouvait bien lui venir l'idée qu'elle réclamait sa liberté. Roy Carlysle y était pour quelque chose, elle en était sûre. C'était vraisemblablement la raison de sa gêne lorsqu'il lui avait annoncé la venue de Gary. Roy avait fait ou dit quelque chose qui avait provoqué ce retour. Elle résolut de mener l'enquête jusqu'au bout.

— Excusez-moi, vous êtes M. et Mme Logan ? interrompit la serveuse.

Gary approuva de la tête, lui faisant signe de poursuivre.

— On vous appelle. Votre fils est réveillé et il demande sa mère.

Liz fut si heureuse de la nouvelle qu'elle oublia les accusations de Gary et lui adressa un sourire resplendissant. Quels que soient les ressentiments personnels qu'elle avait à son encontre, elle ne pouvait nier l'attachement qu'il manifestait pour leur fils.

Andy était en salle de réanimation. Ses joues étaient trempées de larmes. Dès qu'il vit sa mère, il les essuya du revers de sa petite main.

— Où tu étais, maman ?

Il semblait lui tenir rancune de l'avoir laissé seul. Liz se pencha pour remonter la couverture et l'embrassa sur le front.

— J'étais montée manger avec... avec ton papa.

Gary nota l'hésitation, mais s'abstint de toute remarque.

— Ce monsieur est mon papa pour de vrai ?

Les yeux de l'enfant allaient de l'un à l'autre visage.

— Bien sûr, et il a fait un très long chemin pour te rendre visite. Alors ce serait dommage qu'il ne te voie pas en pleine forme, non ? plaisanta Liz en s'efforçant de dissimuler le choc provoqué par la question de son fils.

Gary caressait l'alliance qui ornait l'annulaire de Liz. N'ayant pas jugé bon de porter une marque de leur mariage par procuration, il s'étonnait qu'elle ait réagi différemment. Il en semblait pourtant heureux, même si l'alliance lui avait été présentée par Roy.

— Si vous voulez rester avec Andy, je vais me renseigner sur la chambre qui lui sera réservée, suggéra-t-il en s'éloignant.

Elle redouta que Gary passe commande d'une chambre individuelle, mais elle ne voulut pas aborder cette discussion devant son fils.

Au grand soulagement de Liz, Andy fut amené dans une salle déjà occupée par deux enfants. Ils avaient à peu près un an de plus que lui et ne semblaient guère de grands malades. La décoration printanière de la pièce et la bonne humeur de ses petits camarades séduisirent rapidement Andy.

— Il va sans doute rester une semaine, lui précisa Gary tandis que l'infirmière installait son lit. J'ai pensé qu'il préférerait se trouver en compagnie d'autres enfants.

— Je le crois aussi. Merci de votre attention.

Le visage de Gary se fit plus indéchiffrable que jamais.

— C'est mon fils, Liz.

— Je voulais seulement dire...

— Je me demande si toutes les épouses remercient le père de leur enfant aussi souvent que vous le faites.

Liz se tut pour ne pas attirer l'attention des infirmières et des autres parents.

Dans le courant de l'après-midi, elle eut tout loisir de faire connaissance avec les Douglas, leur fils Nicky et les Hansen.

Gary, qui était sorti plusieurs fois dans l'après-midi, disparut finalement à quatre heures.

A six heures, juste au moment où elle pensait ne plus le revoir de la journée, un énorme panda apparut dans l'entrebâillement de la porte. Il était si gros qu'on ne pouvait deviner qui se cachait derrière. Une oreille s'abaissa alors pour dévoiler le visage de Gary.

— Papa ! s'écria Andy en gigotant de joie.

Liz commençait à s'habituer à l'entendre prononcer ce mot.

— Où diable avez-vous pu dénicher une chose pareille ? Et un dimanche !

— J'ai mes sources, répondit-il en déposant l'animal à côté du lit. Que penses-tu de ton nouvel ami, Andy ? Comment vas-tu le baptiser ? Pandy ou Pandrew ?

— Peter Panda, cria le petit garçon.

— Peter Panda va te tenir compagnie ce soir pendant que ta maman retournera à la maison, annonça Gary.

— Non, je préfère rester, protesta-t-elle.

— Ne pars pas, maman ! cria l'enfant, profitant de leur désaccord.

Son père tenta de le ramener à la raison.

— Sois sage, Andy. Ta maman vient de passer une rude journée. Tu la retrouveras toute reposée demain matin.

— Non ! s'entêta le gamin. Ne t'en va pas, maman, je t'en prie !

Liz le prit dans ses bras.

— C'est encore un bébé, Gary. Ne créons pas un drame pour si peu.

— Je ne suis plus un bébé ! protesta Andy accroché au cou de Liz.

— Bien sûr que non, mon chéri. Tu es un grand garçon. Maintenant, reste calme, ne sors pas de ton lit.

Au bout de quelques minutes, elle parvint à le tranquilliser et put s'éloigner.

— Je reviens dans quelques instants. Je vais te chercher des illustrés.

Gary la suivit. Le couloir était vide, ce qui leur permettait d'échanger enfin librement quelques phrases.

— Il lui arrive d'être très obstiné, commenta-t-elle.

— Vous voulez dire têtu comme une mule, oui !

— Il est tout chaviré quand je le laisse seul. Il se rendrait malade d'angoisse, ce qui ne serait pas indiqué en ce moment.

Gary demeurait inflexible, sans doute par mauvaise connaissance de son fils, pensa Liz.

— Comptez-vous réserver une garde-malade pour la semaine, Liz ?

— Non, voyons ! Demain je verrai si Craig peut venir s'occuper de lui quelques heures.

— Craig ! s'exclama-t-il, agrippant Liz aux épaules pour l'appuyer contre le mur de pierre. Je suppose que je dois être heureux que vous ne

m'infligiez pas la présence de Roy ! Sachez-le, Liz !
Cet enfant est à moi. A moi ! Tant que j'en serai
capable, c'est moi qui veillerai sur lui, y compris
pendant les heures où vous devez vous absenter.

— Vous n'avez pas le droit de faire irruption dans
nos vies aussi brutalement !

Elle était troublée de sentir son corps si près du
sien. Sans doute Gary s'en aperçut-il, car ses mains
quittèrent les épaules de Liz pour entourer son cou.
Elle tenta de lui échapper, mais il la serra contre lui.
Ses lèvres étaient maintenant à quelques centimè-
tres des siennes.

— Gary, pour l'amour de Dieu, nous sommes
dans un hôpital !

— Alors ne me provoquez pas.

Il la contraignit à relever les yeux vers lui.

— Je n'ai pas à faire irruption dans vos vies. J'en
fais partie intégrante. L'existence d'Andy en est la
preuve.

— Andy est votre fils, un point c'est tout.

— Si vous aimiez Roy, je ne refuserais pas le
divorce. Mais je vous connais, Liz. Cet homme est
incapable de vous rendre heureuse, dit-il avec une
tranquille assurance.

Liz déployait toute sa force pour s'écarter de lui,
craignant qu'il ne l'embrasse. Ce ne furent ni ses
efforts ni ses arguments qui vinrent à bout des
intentions de Gary, mais l'irruption des Douglas.

— Ne vous inquiétez pas tant pour Andy, assura
Mme Douglas. La première nuit est toujours pénible.
Mais elle l'est encore plus pour les parents !

— Oui, vous devez avoir raison. Merci beaucoup.

— Et si vous dîniez avec nous ? suggéra M. Douglas avec cordialité. Il est bien pénible de se retrouver seul à la maison...

Vous ne croyez pas si bien dire, pensa Liz. Et lui,
était-il seul ? se demanda-t-elle en regardant Gary
composer un sourire. Il n'avait pas fait mention de

Jasmina de toute la journée, mais cela ne signifiait pas qu'elle n'était plus à ses côtés, comme elle l'avait sans doute été depuis trois ans.

— Merci infiniment, mais j'ai du travail qui m'attend ce soir, répondit Gary. Un autre jour sans doute, ce sera avec plaisir.

Le couple prit congé d'eux. M. Douglas entoura de son bras les épaules de sa femme, et ils s'éloignèrent. Liz envia leur bonheur.

— Vous auriez dû rentrer avec eux, dit-elle, soudain lasse. Ils ont l'air très gentil.

— Je n'en doute pas, mais j'ai du travail et on m'attend pour le dîner.

— Un dîner d'affaires ?

— En partie.

— Jasmina est avec vous ?

La question lui avait échappé.

— Pourquoi me demandez-vous cela ?

— Vous êtes toujours son ange gardien, n'est-ce pas ? Pour motifs strictement légaux, j'entends.

— Quelques mois encore. Elle n'a pas tout à fait vingt et un ans.

— Vous n'avez pas répondu à ma question. Est-elle avec vous ?

— Cela vous ennuierait ?

— Pas le moins du monde.

Liz s'était efforcée de répondre aimablement. Mais elle pensait à Craig. Elle voulait lui éviter l'épreuve de revoir Jasmina. Il n'était même pas en état d'évoquer le moindre souvenir concernant cette fille.

— J'en suis heureux, répliqua-t-il.

Liz le regarda s'éloigner vers le fond du couloir. Sans doute avait-il souri à l'infirmière en la croisant, car elle se retourna pour le suivre des yeux. Un étrange sourire n'avait pas encore disparu de son visage lorsqu'elle parvint à la hauteur de Liz.

Gary, lui, ne s'était pas retourné.

Chapitre 6

LA SONNERIE STRIDENTE DU TÉLÉPHONE TIRA LIZ DU sommeil. Elle se sentait mieux. Ce somme lui suffirait probablement pour tenir jusqu'à la nuit prochaine.

Les rayons du soleil dardaient au travers des rideaux une lumière inhabituelle. Pourquoi à quatre heures de l'après-midi la lueur semblait-elle venir de l'est ?

Elle bondit du lit pour examiner le réveil. Le bouton de la sonnerie était enfoncé et les aiguilles indiquaient neuf heures et quart.

— Mon Dieu ! s'écria-t-elle. J'avais pourtant bien enclenché la sonnerie en revenant de l'hôpital... Est-ce que je rêve ?

La tête d'Edith apparut dans l'entrebâillement de la porte.

— Ma pauvre dame, je me doutais bien que ce maudit téléphone risquait de vous réveiller. C'était Sally qui appelait du magasin. Elle vous demandait la permission de fermer la boutique ce soir un quart d'heure plus tôt pour passer à la banque.

— Dites-moi, Edith, je dors depuis combien de temps ?

— Vous avez fait le tour du cadran, ma foi. Ne me foudroyez pas du regard comme ça. S'il y a quelqu'un à blâmer, c'est votre mari. C'est lui qui a eu l'idée d'appuyer sur la sonnerie après que vous vous êtes endormie. Il n'a pas eu tort. Vous n'avez pas bronché depuis hier après-midi.

On était donc mardi, récapitula Liz dans sa tête embrumée. Même si Gary l'avait remplacée, elle était vexée. Toute la semaine elle l'avait aperçu en coup de vent. Leurs conversations avaient pour unique sujet la santé d'Andy. Il s'abritait toujours derrière l'excuse de son travail pour quitter l'hôpital au moment où elle arrivait et n'était apparemment pas revenu à la maison depuis le premier jour. Néanmoins il se préoccupait réellement de la santé de son fils, autant qu'il fuyait sa compagnie à elle...

Quant à Andy, il s'accoutumait avec joie à trouver un père à ses côtés.

— Votre mari m'a dit que le Dr Petterson autoriserait vraisemblablement Andy à rentrer ce soir, annonça Edith. A coup sûr, l'arrivée de M. Logan n'est pas une mauvaise chose. Andy a besoin d'une présence masculine.

— Merci pour Craig !

— Il a ses problèmes. Et puis c'est autre chose. Un enfant a besoin de son papa. D'ailleurs on voit bien comme il est heureux de se sentir aimé de lui. Pensez-y... D'autant qu'il peut vous être d'un bon réconfort, à vous aussi...

Liz ajusta la ceinture de sa robe de chambre, et se regarda dans la glace. A en juger par ses traits tirés, ce réconfort n'était pas efficace. Elle porta la main à son visage.

— Je ne pense pas qu'un homme ait envie de me réconforter en ce moment ! Mon Dieu, je suis horrible !

— Juste un peu amaigrie... Je vais vous préparer un solide petit déjeuner que je laisserai sur la cuisinière. Il faut que je m'occupe de mettre la chambre en ordre pour vous deux. Ce matin, il a rapporté ses affaires de l'hôtel, annonça-t-elle du ton le plus banal.

Liz en eut le souffle coupé. Quand Edith l'eut quittée, elle laissa retomber sa tête dans ses mains. Gary allait s'installer là !

Ce n'était certainement pas un coup de tête de sa part. Cela entrait nécessairement dans un plan dont les objectifs demeuraient pour elle aussi confus.

Liz évita l'image que lui renvoyait le miroir. Ses yeux brillaient d'un éclat qui n'était pas dû à son long sommeil. Une étincelle s'y était allumée à la pensée que Gary allait vivre sous le même toit. Alors qu'il n'avait manifesté aucun désir d'elle tout au long de la semaine dernière, il avait signifié clairement, le premier jour, qu'il la considérait en tout point comme sa femme.

— Non ! cria-t-elle. Je ne peux pas laisser faire. Il ne s'installera pas !

Elle descendit précipitamment l'escalier vers la grande chambre où il avait déposé ses bagages. Personne n'avait occupé cette pièce depuis la mort de sa mère. Après le décès, cette chambre qui avait vu dormir cinq générations de Mallory était restée un sanctuaire.

Liz en trouva ce matin les fenêtres grandes ouvertes. Edith avait accroché les embrasses des rideaux, faisant baigner dans une lumière éclatante le vaste lit à colonnes, orné d'un couvre-lit de satin crème que sa mère avait jadis brodé elle-même.

Liz s'approchait avec respect de l'armoire en bois de rose quand elle entendit une exclamation :

— Il s'approprie la maison, maintenant ?

Craig se tenait sur le seuil.

— Je ne souhaite pas plus que toi le voir ici, répondit-elle vivement.

— Tu ne lui dois rien, Liz. Il n'a pas eu une pensée pour toi depuis quatre ans. Pas même quand son gamin est né.

— Il n'en demeure pas moins son père, lui rappela-t-elle, tout en se demandant pourquoi il réagissait avec une telle violence.

— J'étais sûr qu'il allait tirer avantage de cette situation tôt ou tard. Tu es mariée à un morceau de papier, et non pas à l'homme qui a engendré ton enfant. Un morceau de papier qui n'aurait même jamais existé si ce n'avait été pour Andy. Essaye de ne pas l'oublier quand tu partageras son lit.

— Je ne dormirai pas avec lui !

Son cousin éclata d'un rire sardonique.

— Mais si ! S'il le souhaite, du moins. Il a acheté son privilège.

Liz avait appris par expérience à s'accommoder des sautes d'humeur de Craig et savait tenir Andy à l'écart, lorsque, déprimé, son cousin se mettait à boire. Depuis l'accident, une grande amertume avait assombri son caractère.

Poursuivre la conversation n'aurait fait que mettre de l'huile sur le feu. Liz préféra changer de sujet.

— Tu n'as pas de bateaux à réparer pour le week-end ?

— J'ai bientôt fini. Je me suis accordé une pause, mais je vois que j'aurais mieux fait de rester sur le chantier. Tu as tort de lui faire confiance, Liz, conclut-il en quittant la pièce.

Liz retourna s'habiller dans sa chambre avant de partir pour l'hôpital. Elle avait été franche en affirmant à Craig qu'elle ne souhaitait pas la présence de Gary chez eux. Mais elle devait penser avant tout à Andy. En dépit de ses sentiments personnels, elle ne se sentait pas le droit de détruire l'affection naissante que son fils éprouvait pour lui.

Cet enfant était le fruit de l'amour aussi inoubliable que bref qu'elle avait vécu avec Gary.

Vêtue d'un pantalon de coton vert bouteille et d'une chemise assortie, elle se dirigea vers le garage. Bien que Gary lui eût laissé la disposition de sa voiture, elle préféra prendre la sienne, plus petite et plus maniable.

Sur le trajet, elle s'imaginait Andy bondissant de joie dans ses bras ou bien lui reprochant de n'être pas venue la veille au soir. Une surprise l'attendait.

Autour du lit de Nicky Douglas, une vingtaine d'enfants étaient rassemblés pour assister à un numéro de prestidigitation exécuté par Gary. Une grande excitation régnait dans la chambre. Sans même remarquer l'entrée de la jeune femme, les petites voix rythmaient : « Encore ! Encore ! », soulignées par les applaudissements.

A la vue de Liz, Gary eut un sourire malicieux.

— Une dernière fois, d'accord, promit-il en traversant la chambre dans sa direction. Pour cette expérience il me faut une ravissante assistante dans la salle. Ah... très bien, j'aperçois une volontaire.

Prenant Liz par la main, il la conduisit vers le groupe.

— Tu vas faire disparaître maman ? questionna Andy, visiblement intrigué par ce jeu.

— Je peux faire changer de couleur la dame que voici. Choisissez la couleur et j'exécute, annonça-t-il à l'assistance d'un air mystérieux.

Tandis que les demandes fusaient de tous côtés au grand désarroi de Liz, Gary réclama le silence en levant la main.

— Vous avez dit rouge ! Eh bien, regardez rougir madame !

Aussitôt dit, il prit Liz dans ses bras et l'embrassa ardemment sur la bouche devant les enfants éberlués.

— Bravo ! C'est vrai, elle a rougi ! hurla Nicky.

Un tonnerre d'applaudissements éclata.

Liz tenta de masquer son visage dans ses mains. Les enfants auraient volontiers demandé d'autres tours. Ils furent interrompus par les infirmières qui les renvoyèrent bon gré mal gré dans leurs différentes chambres.

— Vos talents sont-ils illimités ? demanda Liz, incapable de refréner sa colère.

— Je n'ai que celui de saisir au vol l'occasion d'embrasser mon adorable épouse. M'auriez-vous accordé ce baiser en d'autres circonstances ?

— Le Dr Petterson va me laisser rentrer à la maison aujourd'hui, interrompit l'enfant radieux.

— Il a dit « peut-être », objecta Gary.

— Mais toi tu me l'as promis !

— Jamais de la vie. Cesse de te comporter comme un enfant gâté.

Peu habitué à être contrarié, Andy se mit à bouder.

— Craig t'embrasse bien fort, mon chéri, lança Liz pour rompre le silence.

— Pourquoi il ne vient pas me voir ?

— Tu sais qu'il est très occupé en cette saison. Et puis il n'y a que les papas et les mamans qui ont droit de visite.

Heureuse d'avoir imaginé ce prétexte, Liz n'allait pas tarder à le voir s'effondrer.

— Oncle Roy est bien venu hier soir !

Liz fut d'autant plus surprise qu'elle n'entendait plus parler de lui depuis une semaine. La phrase de l'enfant choqua Gary. Son caractère exclusif lui faisait voir d'un mauvais œil ce pseudo-lien de parenté attribué à Roy.

— C'est très gentil de la part de M. Carlysle, corrigea Liz.

Ce surnom d'oncle n'était pas venu d'elle. Roy l'avait soufflé lui-même à l'enfant.

— Il m'a apporté des livres et a dit qu'il était

désolé de ne pas te rencontrer, ni papa non plus. Je lui ai expliqué que papa avait un dîner en ville, annonça-t-il fièrement.

L'arrivée du Dr Petterson permit de changer de sujet.

— Je vous propose d'aller prendre un café tous les deux pendant que je vais jeter un dernier coup d'œil sur Andy. Si ses points de suture ont résisté à ses galipettes, vous pourrez l'emmener chez vous tout à l'heure.

Liz et Gary se dirigèrent vers la salle d'attente. Elle ne lui laissa pas le temps de revenir sur le sujet dont les avait détournés l'arrivée du médecin.

— Si je comprends bien, vous vous installez chez moi.

— Vous avez une objection valable, ou bien s'agit-il de votre obstination habituelle ?

— Vous auriez pu m'en parler, répliqua-t-elle.

Gary se laissa tomber sur le banc avec un soupir de lassitude.

— C'est réellement cela qui vous gêne, Liz ? Ou bien c'est ce que Craig va en penser ?

— Craig... n'a rien à voir là-dedans, affirma-t-elle d'un ton qui se voulut convaincant.

— Je n'en suis pas aussi sûr que vous le dites. Mais vous, Liz, qu'en pensez-vous, personnellement ?

Une question directe, c'était ce qu'elle redoutait le plus. Comme elle sentait que Gary cherchait son regard, elle releva fièrement la tête.

— Je n'apprécie pas cette initiative, Gary. Je n'ai pas confiance en vos intentions. Cela concerne non seulement votre installation chez moi, mais aussi le simple fait que vous soyez revenu me voir après ces quatre ans.

Elle n'arrivait pas à croire qu'il fût de retour uniquement pour constater ses liens éventuels avec

Roy. Qu'est-ce que celui-ci avait pu lui dire pour lui faire croire qu'elle demandait le divorce ?

— Pensiez-vous réellement que j'allais vous laisser reprendre votre liberté sans me défendre ? Notre mariage n'est peut-être qu'un bout de papier, mais notre fils est le résultat concret de quelque chose de splendide... d'exceptionnel, qui s'est produit entre nous. Vous ne pouvez le nier, Liz. Comme vous ne pouvez m'ôter le droit de connaître mon enfant.

— Je vous précise que c'est bien le seul dont vous puissiez vous prévaloir.

— Liz, ma chérie, ne vous méfiez pas à ce point. Je reconnais que l'idée de dormir avec vous n'est pas sans charme, mais je ne suis pas mufle au point de prétexter mes droits conjugaux pour vous contraindre à partager mon lit.

Liz avait hâte que la visite du docteur prît fin, afin de ramener Andy à la maison.

— Il y a un autre sujet dont j'ai omis de vous parler. Jasmina arrivera dans deux jours.

Liz fut pétrifiée, ce qui procura à Gary le plaisir d'avoir marqué un point par surprise.

— Ne vous inquiétez pas, ma chérie. Je ne compte pas que vous l'invitiez chez vous. Depuis trois ans, Jasmina assure mon secrétariat en Amérique centrale ; il est indispensable qu'elle continue de travailler à mes côtés. Il vous arrivera de l'apercevoir... ainsi que Craig.

Il perdit son sourire narquois pour ajouter :

— Jasmina compte beaucoup pour moi, Liz. Elle n'est plus la même que celle que vous aviez rencontrée. Je vous demande de lui laisser une chance.

Liz ne put supporter l'image de l'intimité qui avait dû régner, durant ces trois années, entre Gary et sa pupille. Pour mieux masquer l'intense jalousie que cette seule évocation faisait naître en elle, elle mit un terme à l'entretien :

— Je vais l'expliquer à Craig. Il n'a jamais parlé

beaucoup de l'accident, mais je sais qu'il ne lui sera pas facile de la revoir.

— Le contraire m'aurait étonné. Et, quoi que vous imaginiez, ce ne sera pas facile pour elle non plus.

Chapitre 7

— QUI C'EST, LA DAME ? DEMANDA ANDY À SA MÈRE EN LUI pressant la main, tandis qu'ils attendaient tous deux dans l'aérogare.

Liz détailla l'éblouissante créature qui se glissait entre les portes métalliques avant de se jeter dans les bras de Gary.

Le pincement qui tenaillait le cœur de Liz ne fit que s'accroître lorsqu'elle vit Gary lui prendre la valise des mains et passer son bras autour de sa taille.

— Je te l'ai déjà dit, mon chéri. Elle s'appelle Jasmina Grant. C'est une amie de ton papa.

Par cette fraîche journée, Jasmina portait un tailleur de laine bleue et une chemise de soie assortie. Un manteau de vison blanc posé sur son bras rehaussait son élégance. Sa jupe fendue découvrait ses cuisses à chaque pas. Liz se sentait mal à l'aise dans sa robe toute simple.

Elle avait sans doute eu tort d'accompagner Gary à l'aéroport. Mais la curiosité l'avait emporté. Andy lui avait servi de prétexte. Elle avait affirmé qu'une sortie lui ferait le plus grand bien. Maintenant elle s'en repentait.

Jasmina hochait la tête, attentive aux paroles de Gary. Mais ses yeux vinrent bientôt se fixer sur ceux de Liz. Elle accourut vers elle pour lui tendre une main chaleureuse.

— Bonjour, Liz. Je suis contente de vous revoir.

— Bonjour, répliqua Liz avec froideur. Voici mon fils Andy. Dis bonjour à Mlle Grant, mon chéri.

Avec un grand sourire, Jasmina se pencha vers l'enfant.

— Bonjour Andy. Tu sais que tu es aussi beau que ton papa ?

Liz se raidit.

— Il faut que je vous appelle « mademoiselle Grant » ? demanda le garçonnet.

— Non, bien sûr... Si ta maman n'y voit pas d'inconvénient, tu peux m'appeler Mina, comme le fait ton papa. C'est plus facile à prononcer que Jasmina.

— Attendez ici que j'aille prendre la voiture, suggéra Gary.

Sans laisser à personne le temps de réagir, il prit Andy dans ses bras.

— Viens, mon petit. Allons la chercher ensemble.

Quand ils eurent disparu, Liz se retrouva face à Jasmina.

— Comment va Craig ? lui demanda la jeune fille.

— Bien.

Jasmina ne se laissa pas désarçonner.

— Nous pouvons parler d'autre chose... reprit-elle après quelques secondes. Votre fils est adorable.

— Oui.

— Au téléphone Gary me l'avait décrit avec enthousiasme. Il n'osait espérer que son fils l'accueillerait... aussi bien. Vous auriez pu aisément vous mettre en travers de leur chemin, Liz, et vous n'en avez rien fait. J'ignore si beaucoup de femmes auraient manifesté la même honnêteté dans ces circonstances.

— J'aime mon fils, Jasmina. Ne soyez pas trop prompte à juger d'une situation dont vous ne connaissez rien.

Jasmina se tut. Elles furent toutes deux soulagées lorsque Gary vint les rejoindre. Il descendit mettre les valises dans le coffre, puis leur ouvrit les portières.

— Je veux passer devant avec maman ! réclama Andy au moment de s'asseoir dans son siège de sécurité.

— Reste donc là-dedans, garnement, gronda Gary.

— Je ne veux pas être attaché ! Je ne suis plus un bébé !

— Personne ne t'a dit que tu en étais un, répliqua son père. Regarde, nous allons tous mettre nos ceintures, ça te va ?

— Je vais passer derrière avec lui, concéda Liz.

— Vous viendrez à côté de moi à la place qui est la vôtre, rétorqua Gary avec véhémence.

Liz comprit son erreur en entendant Andy réitérer.

— Je veux maman à côté de moi !

Elle venait d'encourager ses caprices comme elle l'avait fait à l'hôpital le jour du panda.

— Nous n'allons pas discuter des heures, Gary. Et puis, je suis certaine que Jasmina et vous avez des tas de choses à vous dire.

— Liz, vous n'auriez pas à supporter la conduite d'Andy si vous l'aviez habitué à obéir.

— J'ignorais que vous aviez une si grande expérience des enfants.

Jasmina, embarrassée, ne savait que faire. Elle ne doit plus avoir si bonne opinion de moi, pensa Liz.

— Montez, Liz, coupa Gary, les dents serrées.

Elle savait bien qu'il avait raison, mais elle aurait

préféré mourir que l'admettre devant Jasmina. Elle se glissa à côté du siège de l'enfant. Andy s'endormit aussitôt.

Une heure plus tard, ils atteignirent la maison. Jasmina était descendue à l'hôtel, en ville, mais Gary avait préféré déposer d'abord Andy et sa mère.

— Je reviens, Mina, lança Gary en prenant délicatement Andy dans ses bras pour ne pas le réveiller.

Se sentant obligée de dire quelque chose, Liz glissa un « au revoir » hâtif avant de refermer la portière, puis suivit Gary.

— Vous n'êtes guère bavarde, lui fit-il remarquer.

Liz le gratifia d'un regard glacé.

Après avoir déposé Andy dans sa chambre pour la sieste, ils étaient revenus sur le palier.

— Qu'est-ce que vous attendez de moi, Gary ? La dernière fois que j'ai vu cette fille, elle a craché son venin sur moi. Et je ne parle pas de ce qu'elle a dit de Craig ! Il aurait pu mourir sans qu'elle en éprouve le moindre chagrin.

— Elle se préoccupe beaucoup de lui, Liz. Si seulement vous saviez combien c'est vrai ! Je gage qu'il est trop tôt pour que vous lui accordiez crédit mais, dans notre intérêt à tous, je vous en prie, essayez de comprendre qu'elle peut avoir changé.

Liz allait rentrer dans sa chambre quand ils entendirent un fracas dans le salon. Ils descendirent les escaliers quatre à quatre.

— Fous le camp, misérable ! hurlait Craig en furie. Ne t'approche pas de moi, ou je jure que je te tue de mes propres mains !

Liz fut épouvantée. Craig, qui venait de passer deux jours enfermé dans sa chambre, se tenait à côté du bar. A le voir tituber, elle comprit qu'il avait bu plus que de raison.

Jasmina était agenouillée au milieu du plancher.

85

Elle tremblait en ramassant les éclats d'une carafe. Une tache de whisky dégoulinait sur le mur derrière elle. Le coup était passé assez loin, mais Liz attribua cette erreur de tir à la maladresse de l'ébriété.

— Bon Dieu ! jura Gary. Espèce de...

— Non, Gary ! Non ! gémissait Jasmina en se relevant juste à temps pour intercepter son tuteur qui se ruait sur Craig. C'est ma faute !

Les larmes faisaient couler le rimel en longues traînées noires sur ses joues.

— J'ai... j'ai aperçu Craig à la fenêtre. Je n'aurais jamais dû entrer. Excusez-moi. Je vous en supplie. Je vous demande pardon à tous.

Liz rejoignit son cousin. Il laissa retomber son bras infirme et se mit à le masser comme elle l'avait vu faire de nombreuses fois. Mais aujourd'hui la douleur semblait bien plus aiguë.

— Fais-la sortir.

Il ressemblait à un enfant blessé.

— Ne me regardez pas. Faites-la sortir...

Liz eut l'impression d'un horrible cauchemar. Craig avait appris l'arrivée imminente de Jasmina avec une étonnante indifférence. Maintenant, elle comprenait que c'était une attitude. Qu'est-ce que Jasmina avait donc bien pu lui faire, avant l'accident, pour que sa souffrance soit toujours aussi vive ?

Jasmina s'était enfouie au creux des bras protecteurs de Gary. Liz se souvint de la phrase qu'il lui avait dite, un jour lointain : « Jasmina et Craig ne seront pas toujours entre nous. » S'il lui était arrivé d'entrevoir une lueur d'espoir, celle-ci s'évanouissait aujourd'hui.

Gary releva la tête, et posa sur Liz son regard angoissé. C'est à cause d'elle, pensa-t-elle. Et elle détourna les yeux. En silence, Gary quitta la maison en compagnie de sa pupille.

Elle prit une douche, tout en guettant le retour de Gary. Depuis deux jours qu'ils ne s'étaient pas quittés, elle s'était accoutumée à sa présence. Leurs sujets de conversation avaient été judicieusement choisis, de manière à éviter tout ce qui pût être trop intime. Liz reconnaissait que ce soir il lui manquait.

Elle alla se coucher dans sa propre chambre car il n'avait jamais été question qu'elle dorme avec Gary.

Vers minuit, il n'était toujours pas rentré. Après une attente agitée, elle finit par s'assoupir. Très vite des images cruelles hantèrent ses rêves. Le bref baiser à l'aéroport... la conversation douce et familière... puis la façon dont il avait pris Jasmina dans ses bras et caressé ses cheveux.

En trois années, l'adolescente agaçante était devenue une belle jeune femme.

C'est la brillance matinale du froid soleil d'automne qui l'éveilla. Gary était-il rentré ou non cette nuit ? Elle l'ignorait.

Liz se dirigea paresseusement vers la salle de bains. L'image de Gary l'obsédait.

Sous le jet de la douche, elle pensait encore à lui. A en devenir folle. Une chaude bouffée de désir s'empara d'elle tandis que ses mains savonnaient les gracieuses courbes de son corps. Ses seins tendus appelaient la caresse des lèvres de Gary.

Que le diable vous emporte, Gary Logan, maudissait-elle intérieurement. Elle ne pouvait plus nier que son corps aspirait douloureusement à la défaite.

Lorsqu'elle commença à se brosser les cheveux, son miroir lui renvoya l'image d'une étrangère. Il y avait bien longtemps qu'elle n'avait observé un tel éclat dans ses yeux verts. Elle avait maigri, mais le relief accentué de ses pommettes demeurait aussi séduisant. Ses cils sombres et soyeux conféraient à son regard une tonalité de mystère que même Gary Logan ne saurait pas déchiffrer...

Elle était devant sa penderie, à la recherche d'une

robe, lorsque Andy fit irruption dans la chambre. Elle ne se retourna pas et continua à fouiller.

— Je croyais que nous étions convenus de frapper à la porte avant d'entrer dans la chambre de maman, Andrew Logan.

Cela faisait peu de temps qu'elle lui avait notifié la fin du libre accès à sa chambre. Elle éprouvait de plus en plus le besoin d'intimité et le gamin devenait particulièrement curieux.

— La porte n'était pas fermée, répliqua-t-il avec un bon sens déconcertant.

— Il a raison. Elle n'était pas fermée, lança la voix de Gary.

Surprise, Liz se retourna vivement, collant la robe contre elle.

Gary semblait s'amuser beaucoup à la scruter ainsi tranquillement. Il était négligemment appuyé contre l'encadrement de la salle de bains, vêtu uniquement d'un peignoir de velours rouge. Sa chevelure en désordre lui donnait un charme étonnant. On eût dit qu'il venait juste de sauter du lit. Restait à savoir de quel lit...

— Papa dit que nous pouvons aller prendre le petit déjeuner dehors. Après il nous emmènera faire une promenade en voiture sur la côte. Il a travaillé vraiment très tard cette nuit. Maintenant il peut passer la journée avec nous.

Liz adressa à Gary un regard sceptique qu'il remarqua fort bien.

— J'ai bien peur de ne pouvoir vous accompagner, expliqua-t-elle. Je dois me rendre au magasin aujourd'hui. La pauvre Sally doit être épuisée de l'avoir tenu seule toute la semaine... Une autre fois, Andy, c'est promis.

— Tu dis toujours ça !

Liz avait lu le désappointement sur le visage de son fils. Mais elle fut sidérée de le voir bondir par-dessus le lit et filer s'enfermer dans sa chambre après en avoir claqué bruyamment la porte. Gary avait raison. Leur fils était un enfant gâté.

— Permettez-moi de penser, Liz, qu'une promenade sur les falaises nous serait bénéfique à tous. Depuis combien de temps n'a-t-il pas été se promener ?

— Edith l'occupe avec des livres à colorier ou bien avec la télévision. Je ne suis pas une mère au foyer.

Elle avait subitement l'allure d'une gamine entêtée.

— Mon commerce n'est pas sur la Cinquième Avenue, Gary. En dépit de ce que vous pensez, il ne marche pas tout seul. Et... je n'ai pas, comme vous, la faculté de travailler tard dans la nuit pour être disponible toute la journée du lendemain.

Gary cherchait à conserver son sang-froid.

— N'essayez pas, Liz.

— Quoi donc ?

— De créer une symétrie entre mes relations avec Jasmina et votre liaison avec Roy Carlysle.

— Vous avez passé la nuit avec elle !

— Nous avons travaillé jusqu'à trois heures ce matin, rétorqua-t-il. La pauvre fille tombait de sommeil quand nous avons terminé, surtout après l'accueil que lui avait réservé Craig.

— La pauvre fille ! reprit Liz avec un sourire cynique. Elle est aussi pitoyable qu'une orchidée épanouie et inestimable, elle aussi !

Gary éclata d'un rire franc.

— Mon Dieu, vous allez me rendre fou ! Etre jalouse d'une écolière !

— Je suis ravie de vous amuser.

— Je n'aime pas la jalousie, Liz, mais je suis heureux d'en voir en vous. Cela me prouve que la femme sensuelle et envoûtante que j'ai connue jadis existe toujours, lui dit-il de sa voix chaude et douce.

Il se tenait à si faible distance de son dos qu'elle

sentit son souffle sur son cou. Soudain, il souleva délicatement la masse de sa chevelure cuivrée, approcha les lèvres de la chair soyeuse de son cou, de la naissance harmonieuse de ses épaules.

— J'ai envie de vous, Liz, murmura-t-il en la caressant voluptueusement. Je n'ai jamais cessé de vous désirer, et je suis persuadé que vous éprouvez les mêmes sentiments à mon égard.

Liz tentait de retirer son épaule quand elle sentit la chaleur des lèvres de Gary derrière son oreille.

— Je ne veux pas arriver en retard. Accepteriez-vous enfin de me laisser m'habiller ? lança-t-elle.

Sa voix parvenait à rester ferme mais les battements de son cœur s'accéléraient.

Les bras de Gary se refermèrent sur elle puis glissèrent jusqu'à sa taille.

— Cette nuit encore vous étiez vivante en moi, Liz. Vous étiez comme un feu qui parcourait mes veines. Je n'ai rien oublié de notre nuit. Je sais que vous non plus.

Frôlant les hanches fines, ses mains se rejoignirent dans le dos de Liz. Il était à cet instant si étroitement contre elle qu'elle ne pût mettre en doute la sincérité de son ardeur. Elle eut beau tenter de dénouer ses bras, il ne voulait pas la laisser s'échapper.

— Cessez de faire semblant, cessez avant qu'il soit trop tard.

— Mais je ne fais semblant de rien ! cria-t-elle, d'une voix haletante qui trahissait son désarroi. Gary, je vous en prie, je ne veux pas !

Gary la retourna doucement vers lui pour cueillir le pourpre de sa bouche. Elle se débattit jusqu'à ce qu'un flot de désir vienne submerger toute velléité de résistance.

Liz fut tellement envoûtée par la sensualité de son baiser qu'elle ne s'aperçut pas qu'il avait desserré lentement les attaches de sa robe de soie. Elle sentit soudain ses doigts sur sa peau dénudée.

— Posez vos mains sur moi, Liz. Nous avons l'un et l'autre besoin de nous confirmer que nous ne rêvons pas.

Liz, spontanément, enlaça les épaules de Gary.

— Non, Gary, je vous en prie... gémissait-elle avec douceur, craignant de voir s'effondrer tous les remparts qu'elle avait tenté d'édifier.

Gary laissa glisser la ceinture de son peignoir de velours rouge. Leurs deux corps furent collés l'un à l'autre sans que rien ne les sépare plus. Elle plongea son visage au creux de son épaule, savourant son parfum de santal. Ses doigts tremblants vinrent caresser cette poitrine virile dont le souvenir avait tellement hanté ses nuits.

— Avouez-le, Liz. Avouez que vous me désirez autant que je vous désire.

Liz s'obstinait dans le mutisme mais son corps était éloquent.

Gary la tenait de plus en plus serrée contre lui.

— Je vous le ferai bien reconnaître, assura-t-il.

Il recommença à la couvrir de baisers. Liz accorda une réponse à ses lèvres assoiffées.

Gary se pencha pour passer un bras sous les genoux de Liz. Avant qu'elle ait pu opposer la moindre résistance, il la souleva sans effort et la déposa sur le lit.

Allongé auprès d'elle, il s'apprêtait à lui retirer sa robe lorsqu'elle l'arrêta.

— Andy pourrait entrer...

— Je m'en occupe, coupa-t-il.

Il alla verrouiller la porte.

Elle devait se l'avouer : Gary exerçait sur elle ce même pouvoir qui l'avait envoûtée quatre ans plus tôt. Elle avait un irrésistible désir de lui.

Et pourtant, je ne l'aime pas, je ne peux plus

l'aimer, essayait-elle de se persuader. Il m'a fait payer trop cher les conséquences de cette nuit-là.

Elle sentit ses mains brûlantes dégrafer son soutien-gorge avec la plus grande aisance.

— Je vous en prie, Gary, laissez-moi partir.

Ses mots étaient hachés par les martèlements de son cœur.

— Je vous désire, Liz. Vous aussi. Pourquoi ne voulez-vous pas l'admettre ? murmura-t-il contre sa joue.

Les larmes étouffaient la jeune femme. Gary relâcha légèrement son étreinte, mais ne se montra aucunement disposé à accéder à sa demande. Quand sa main caressa sa poitrine, la peau de Liz frissonna de fièvre au contact de ses lèvres. Un fleuve de lave parcourait ses veines.

— Non, Gary, je vous en supplie.

— Savez-vous ce que j'ai enduré à coucher seul dans cette chambre du bas ? Chaque nuit, j'avais l'irrésistible envie de monter vous regarder dormir. Oui, juste vous dévorer des yeux quand vous ne vous teniez pas sur vos gardes. Je n'ai qu'une pensée en tête, c'est de vous prendre dans mes bras pour m'assurer que vous êtes bien réelle. Vous êtes ma femme, Liz. J'ai tout de même le droit...

— Cessez de me parler de droits ! cria-t-elle. Vous ne seriez pas ici s'il n'y avait l'intérêt de Andy !

Un silence de mort s'installa entre eux. Le regard de Gary était toujours rivé sur son visage.

— Il est sans doute encore trop tôt pour que vous m'accordiez confiance. Votre cœur est pris dans la glace. Il me faudrait avoir la force d'un volcan pour l'en libérer. Mais j'y parviendrai. Je vous en fais serment.

— Vous déchiffrez les désirs secrets des femmes, Gary ! Votre expérience est sans doute très vaste.

Un tendre sourire éclaira ses yeux.

— Comment vous ferais-je comprendre que vous

êtes la seule femme dont je souhaite déchiffrer les désirs ? questionna-t-il en faisant courir son index sur le contour gracieux du menton de Liz. Etes-vous sûre de bien comprendre vous-même ce qui se passe en vous ? A vrai dire, je commence à en douter. Voilà longtemps que vous avez laissé un homme véritable vous aimer, n'est-ce pas ?

Il voulait donc mettre son âme à nu, comme il avait dévoilé son corps. Mon Dieu, se dit-elle, attend-il que j'admette n'avoir fréquenté aucun homme depuis qu'il m'a quittée ? Lui donnerai-je ce plaisir ?

— Vous seriez bien surpris, Gary, commença-t-elle d'un ton cynique

Il y eut une expression de chagrin dans le regard de Gary.

— Vous pensez que je cherchais à savoir combien d'hommes vous aviez connus depuis notre rencontre ? Si vous espérez me contrarier par votre réponse, vous perdez votre temps. Cela n'atténuera pas le désir que j'ai de vous. J'accepterai peut-être de partager !

Elle avait voulu le blesser en lui faisant croire à d'éventuelles aventures. Ulcéré, il avait répliqué brutalement. L'orgueil de Liz l'empêchait d'avouer son mensonge.

La glace avait commencé à fondre. Et pourtant, le malentendu s'installait de nouveau. Liz se sentit profondément découragée.

Gary s'était levé et, le dos tourné, enfilait son peignoir.

— Pourquoi êtes-vous revenu, Gary ? Pourquoi ne m'avez-vous pas laissée seule ?

Elle ne put deviner s'il avait été blessé par sa réponse, car il ne tourna plus les yeux dans sa direction.

— Il fallait que je revienne, Liz. Il fallait que je m'assure que vous existiez vraiment... je craignais que vous apparteniez simplement à un rêve que j'avais fait jadis.

Il se dirigea vers la porte qui donnait sur le couloir. La main sur le verrou, il lui adressa ces dernières phrases :

— Il s'agit d'un rêve que j'ai nourri en moi pendant bien longtemps, avant même d'apprendre que vous attendiez un enfant de moi.

Liz le regarda partir. S'il était sincère, pourquoi n'avait-il pas donné de ses nouvelles pendant toutes ces années ? Pourquoi avait-il attendu jusqu'à ce jour pour revenir ? Tant qu'elle ne connaîtrait pas la réponse à ces énigmes, elle douterait de lui.

Elle n'avait plus qu'un seul projet en tête. Si Roy Carlysle possédait ces réponses, il faudrait bien qu'il les lui donne.

Chapitre 8

LIZ AVAIT OUVERT LA GRILLE DE SA BOUTIQUE SITUÉE DANS le petit centre commercial. Puis elle s'était mise au travail avec diligence pour reprendre au plus vite les comptes de la semaine passée. A neuf heures, Sally ouvrit la porte. Elle lui tendit une tasse de café fumant, un radieux sourire aux lèvres.

— Je suis heureuse de vous revoir, Liz ! J'ai reçu trois dames qui ont refusé de choisir définitivement leur robe tant que vous ne leur donneriez pas votre opinion !

— Et parmi elles, il y avait votre mère, je parie ?

Sally eut un petit rire bête et haussa ses sourcils bruns.

— Est-ce ma faute si maman n'a pas confiance en mes goûts ?

En d'autres circonstances l'allusion à la mère de Sally aurait déclenché de joyeux fous rires entre elles, mais aujourd'hui Liz avait bien d'autres préoccupations en tête.

— Je vous laisse vous occuper des clients, Sally.

Je m'enferme dans le bureau pour être tranquille. J'ai des tas de problèmes à régler.

— Vous ne serez pas là pour M. Carlysle non plus ?

— Comment ? Il a cherché à me voir ?

— Plusieurs fois. Je lui ai dit que vous étiez probablement chez vous ou à l'hôpital pour toute la semaine, mais il semblait... hésiter à vous joindre ailleurs qu'ici. Peut-être que la présence de votre mari chez vous y est pour quelque chose...

— Comment savez-vous cela ? s'étonna Liz.

Les yeux de Sally pétillèrent de malice.

— Par votre gouvernante, répliqua-t-elle sans hésiter. C'est sans doute pourquoi M. Carlysle s'est montré aussi agité toute la semaine.

Liz n'avait pas l'intention de lui faire des confidences.

— Merci de m'avoir fait la commission, Sally. Si vous mettiez un peu de musique ? Cela pourrait être agréable aux clients.

Déçue dans sa curiosité, Sally se retira.

Peu avant midi, la jeune vendeuse vint frapper à la porte pour annoncer l'arrivée de Roy.

L'austère costume sombre qu'il portait dans ses heures de travail rehaussait son charme juvénile. Lorsqu'il adressa à Liz un sourire gêné, elle ne put s'empêcher de lui rendre son sourire.

— Comment va Andy ? demanda-t-il pour rompre le silence.

— Beaucoup mieux. Je vous remercie de votre visite à l'hôpital.

— Ce n'est rien... Je veux dire... j'espérais vous y trouver. Enfin, je n'entends pas par là que je ne voulais pas voir Andy, mais...

— Mais vous êtes très clair, Roy. Vous ne vouliez pas risquer de rencontrer Gary, c'est tout.

Il haussa les épaules, glissa les mains dans ses poches.

— Il croit que nous sommes... enfin que vous et moi...

— Que nous avons une liaison ? interrompit-elle pour le soulager. Je suis au courant. Mais j'ignore ce qui a bien pu l'amener à le penser.

— Je vous jure que je ne le lui ai jamais fait croire, protesta-t-il. Je lui ai simplement livré mon sentiment sur la façon cavalière dont il vous traitait, vous et Andy. Et je lui ai dit que vous pourriez bien finir par porter vos yeux... sur un autre homme.

Liz fut partagée entre l'envie de le tuer et celle de le plaindre. Elle ne pouvait s'empêcher de penser que sa rupture avec Olivia avait un rapport avec l'attirance qu'il éprouvait pour elle. Elle craignait même d'être à l'origine de cette séparation, bien que rien ne lui permît d'en être sûre.

— Avez-vous dit à Gary que je voulais divorcer ?

Il tenta de nier.

— Non, pas du tout. Enfin, pas comme ça. Mais s'il a interprété mes mots dans ce sens, je n'en suis pas mécontent, avoua-t-il.

— Roy, il ne vous appartient pas d'intervenir.

Liz espérait par sa sécheresse lui faire comprendre qu'il ne pourrait rien y avoir entre eux. Elle le considérait comme un garçon fragile, aussi maladroit que vulnérable.

Roy se rapprocha d'elle, sans toutefois la toucher.

— Liz, vous avez trop de soucis pour une femme seule, entre Craig, Andy et votre magasin. Tout cela vous accapare trop. Vous avez besoin de quelqu'un dans votre vie. Gary n'est même pas conscient que vous existez. Ma chère Liz, si c'est un problème d'argent, vous savez que je serais heureux de...

— Roy, je vous en prie ! interrompit-elle brusquement.

L'absence de Gary lui avait démontré qu'elle était capable de survivre dans le célibat, mais son retour lui avait appris qu'elle préférerait tout de même ne plus être seule. Quoi qu'il en soit, Roy Carlysle n'était pas l'homme qu'il lui fallait, et ne le serait jamais.

Liz jeta un coup d'œil à sa montre.

— Je suis désolée, Roy, mais c'est l'heure où Sally va déjeuner. Il faut que je descende tenir la boutique.

Roy la suivit et attendit que la vendeuse fût sortie pour revenir sur la question qui le préoccupait.

— Le retour de Gary n'a-t-il pas été trop pénible pour vous ?

— Ce fut... une très bonne chose pour Andy, répondit-elle diplomatiquement.

Elle s'affairait à consolider une pile de pull-overs sur le point de s'effondrer. Elle enchaîna d'un ton neutre :

— Ils ont plaisir à être ensemble. Ce matin encore, ils étaient déjà partis se promener tous les deux avant mon réveil.

— Et vous supportez qu'il vive sous votre toit !

— Vous n'avez pas besoin de me jeter ce regard sombre, Roy. Gary veut avoir le plus de temps possible pour être en compagnie de son fils, ce qui n'a rien de déraisonnable.

— Enfin, ne voyez-vous pas ce qu'il essaie de faire ? Il se sert d'Andy pour vous attacher à lui !

— Je croirais entendre Craig ! ironisa-t-elle. Sincèrement je souhaite désormais que, l'un comme l'autre, vous cessiez de vous occuper de ma vie privée et me laissiez prendre seule les décisions qui concernent mon mariage.

— Voulez-vous dire que vous envisagez d'y mettre fin ?

— Je n'y ai jamais songé. Je vous en prie, Roy, cessez de me harceler à ce sujet.

— D'accord, Liz. Je m'abstiens pour l'instant. Mais j'espère que la présence de Gary vous fera comprendre combien il vous serait préférable d'accorder votre cœur à quelqu'un d'autre.

Roy n'attendit pas sa réaction. Il s'éclipsa en bredouillant qu'il la rappellerait prochainement.

Il était presque sept heures quand Liz ferma la boutique. Une lumière brillait sur le quai ; Craig devait lui aussi prolonger son travail plus que de coutume.

A la cuisine, elle trouva Edith en train de surveiller son four.

— Pourquoi restez-vous si tard, Edith ?

D'habitude, après avoir fait dîner Andy, Edith laissait un plat chaud pour Liz et Craig avant de partir.

— C'est une suggestion de votre mari, répondit-elle avec le sourire. Elle est loin de me déplaire. Il m'a dit qu'il préférait manger vers huit heures. Puisque vous travaillez tard, il a pensé que cela vous conviendrait mieux.

— Quelle longue journée !

— Qu'est-ce qu'une vieille femme comme moi peut faire d'autre ? M. Logan a proposé que j'arrive plus tard le matin, puisqu'il peut s'occuper du réveil du petit. Moi je trouve agréable de voir de nouveau toute une famille attablée !

Une famille ! Liz préféra changer de conversation.

— Andy est-il avec son père ?

— Il est descendu avec Craig sur le quai. Il a déjà mangé.

Liz ne demanda pas où était Gary. Elle préféra aller se détendre, comme elle avait coutume de le faire au retour du travail, dans la nouvelle salle d'eau qu'elle avait fait construire après l'accident.

Un sauna et un bain chaud y avaient été installés pour parfaire la rééducation de Craig.

Après s'être débarrassée de ses vêtements, Liz noua une serviette autour de sa poitrine.

Un parfum d'eucalyptus l'accueillit dès qu'elle

ouvrit la porte du sauna. Elle aspira profondément pour jouir de cette senteur apaisante et s'étendit calmement sur la plate-forme en faïence. Ses muscles se détendirent peu à peu.

Quelques minutes après, Liz quitta le sauna pour rejoindre la passerelle de bois octogonale qui surplombait la porcelaine pourpre du bain chaud. Elle se dépouilla de sa serviette et entra dans l'eau tourbillonnante.

Elle laissa reposer sa tête dans le creux profilé à cet effet. Le mouvement de l'eau brûlante vint chatouiller ses pieds. Liz sourit, la tête renversée en arrière, les yeux mi-clos, détendue.

Un filet d'eau lui coula sur le menton. Elle voulut tendre la langue pour le happer quand elle sentit des lèvres ardentes se poser sur les siennes. En un éclair, elle se souvint qu'elle avait négligé de refermer la porte. Elle repoussa violemment les épaules chaudes et nues qui se penchaient sur elle, mais glissa dans la baignoire et fut contrainte de s'agripper au torse de Gary pour ne pas s'enfoncer plus avant dans l'eau.

— Mais revenez donc avec nous ! plaisanta Gary, amusé.

Il l'empoigna sous les bras.

— Laissez-moi, cria-t-elle affolée.

Il la contemplait de la passerelle de bois. Liz ne vit d'abord de lui que le jean qui moulait étroitement ses jambes musclées.

— Je vois que vous n'avez pas eu trop de mal à trouver le chemin du sauna ; je ne vous l'avais pourtant pas encore fait visiter, dit-elle.

Liz, essayant de cacher son trouble, s'efforçait surtout d'éloigner son regard du torse hâlé et puissant qui l'attirait irrésistiblement.

— J'y suis arrivé comme un grand, répondit-il négligemment en laissant courir ses doigts dans l'eau. J'espère que vous ne m'en interdirez pas l'usage ?

Elle sentit une rougeur lui monter aux joues.

— Pourquoi le ferais-je ? Vous l'avez payé, après tout !

— Du moment que Craig avait une chance de retrouver la maîtrise de ses gestes, il fallait tout faire pour aider son rétablissement, non ?

— Vous étiez au courant de l'évolution de sa santé ?

— J'ai suivi sa convalescence de très près. Croyez-moi, ma chérie, je lui veux autant de bien que vous-même.

Ce signe d'affection avait beau être inattendu, Liz le remarqua à peine. Elle était trop préoccupée par le souci de dissimuler sa nudité, que les mouvements de l'eau bouillonnante découvraient par instants.

Gary s'amusait à tapoter de ses doigts les vaguelettes pour les faire courir au plus près de sa poitrine sans jamais la toucher.

— J'aimerais que vous cessiez ce jeu.

Gary retira la main avec un sourire.

— Vous êtes pleine de contradictions, Liz. Sous des dehors calmes et méthodiques, vous cachez une nature passionnée.

— Vous vous trompez grandement, rétorqua-t-elle d'un ton effronté.

Mais elle était si troublée par ces mots qu'elle s'assit et replia ses genoux en guise de protection.

— Je ne le crois pas, Liz.

Gary se pencha pour écarter une mèche de cheveux humides qui lui barrait le visage. Sa main erra sur le cou satiné de la jeune femme.

— Seule une femme animée d'une grande passion choisit de se reposer d'une journée de travail en un lieu aussi sensuel.

— Le sauna me relaxe, se défendit-elle.

— Peut-être... Vous sembliez en effet détendue avant que je vienne vous embrasser. Mille pardons de vous avoir dérangée.

Elle essaya de plaisanter :

— Ne vous croyez pas obligé de rester pour me tenir compagnie.

Il n'avait nullement l'intention de partir.

Avant qu'elle ait eu le temps de réagir, il avait ôté son jean.

— Gary, que faites-vous ?

— Je pense que c'est clair, je viens vous rejoindre.

— Attendez ! Je vais sortir et vous laisser la place. Soyez gentil de me passer mon peignoir.

Gary fut pris d'un fou rire.

— Mais c'est que je n'ai aucune envie de vous voir sortir, ma chérie. Maintenant que nous sommes moins préoccupés par la santé d'Andy, nous avons des choses sérieuses à nous dire.

— Est-ce le meilleur endroit ?

Il était beau comme une statue de bronze ; et tel que sa mémoire en avait conservé l'image.

Gary pénétra dans la baignoire, tout entier livré à son regard admiratif. Peut-être pour la provoquer plus encore, il se glissa très lentement dans l'eau. Au moment où il s'y attendait le moins, Liz le fit déraper sur la faïence. Il se retrouva au fond en une seconde.

Ne le voyant pas remonter, elle se pencha sur l'eau, anxieuse. Une main lui empoigna la cheville. Avant même qu'elle pût s'agripper aux rebords de la porcelaine, elle glissa inéluctablement au fond avec lui.

La bouche de Gary vint à sa rencontre dans la profondeur de l'eau brûlante. Elle apprécia le velours de sa peau contre la sienne. Elle étendit les bras pour l'enlacer et palpa ce dos dont les muscles puissants avaient hanté si fréquemment ses rêves.

Ils s'enlacèrent. La violence de l'eau tourbillonnante n'avait d'égale que celle de leur passion.

Quand leurs bouches se séparèrent enfin, Gary blottit son visage contre le cou de la jeune femme.

— Vous parliez de relaxation ? plaisanta-t-il.

Les bras enroulés tendrement autour de son cou, Liz s'avoua qu'elle ne pourrait plus lutter contre son propre désir, comme le matin.

Il l'étreignit avec tant de fièvre que leurs bouches se perdirent une fois encore l'une en l'autre. Etourdie par la tempête de leur baiser, elle se serra contre lui.

— Je vous désire tant, Liz, murmura-t-il en faisant courir ses mains fébriles sur son corps. J'ai une envie insatiable de vous. Il faut que tout en vous m'appartienne, ma chérie, comme lors de notre merveilleuse nuit.

— Non, Gary, non ! trouva-t-elle la force de crier malgré sa respiration rendue plus haletante que jamais par le jeu savant des doigts sur son dos. Il n'est pas juste que vous me rappeliez cette nuit-là. N'utilisez jamais cette arme contre moi.

— Cette nuit pourrait se reproduire si vous donniez libre cours à vos désirs.

— C'est impossible, Gary. Vous ne savez pas ce que vous me demandez là.

Gary la repoussa pour aller se blottir à l'autre extrémité de la baignoire. Ses yeux brillaient de colère et de passion.

— Vous êtes donc entichée de Roy à ce point ?

La question prenait Liz par surprise. Elle était loin de penser à Roy.

— Roy n'a rien à voir !

— Vous l'avez rencontré aujourd'hui, n'est-ce pas ?

— Comment l'avez-vous su ?

Il haussa les épaules.

— Il est informé que je vis maintenant auprès de

vous. C'est un peu prétentieux de sa part de désapprouver cette situation, si je peux me permettre de vous donner mon avis.

— Il se préoccupe simplement de mon sort.

Vous l'aviez bien payé pour cela, eut-elle envie d'ajouter. Mais elle se ravisa.

— Je doute qu'il soit aussi préoccupé s'il n'était pas amoureux de sa cliente, insinua-t-il. Mais vous, vous ne l'aimez pas, n'est-ce pas, ma chérie ?

Liz resta muette. Elle était trop fière pour accepter de répondre à cet interrogatoire.

— Si vous l'aimiez, reprit-il, vous n'auriez pas répondu aussi intensément à mon désir.

— N'êtes-vous revenu que pour rompre cette prétendue liaison ? Vous avez fait le voyage pour rien, Gary !

— Peut-être... Mais, pour ce qui concerne notre vie conjugale, mon voyage tombe au contraire fort à propos.

Liz lui adressa un regard étonné.

— Que voulez-vous dire ?

— Je pensais être clair, Liz. Je vous aime, et je ferai tout pour vous convaincre de donner sa chance à notre mariage. Est-ce trop vous demander ?

Chapitre 9

LIZ TENAIT À EFFACER LES MARQUES DE FATIGUE LAISSÉES par cette rude journée. Elle se maquilla légèrement et posa sur sa bouche une touche de rouge à lèvres incolore.

Etonné par tous ces préparatifs, Andy vint s'asseoir sur le rebord du fauteuil. Il s'amusait de la voir ainsi absorbée dans des gestes dont il ne discernait pas bien l'utilité. Il éclata de rire en la voyant pincer ses lèvres dans une grimace insolite.

— Tu ne m'as pas raconté ta journée, Andy. T'es-tu bien amusé en te promenant avec papa ce matin ?

— Nous avons été au musée voir des tas de très très vieux bateaux. Après nous avons déjeuné avec Mina. Et puis encore après nous avons été tous les trois visiter le bateau de M. Tanner. Papa m'a dit que ça s'appelait un sloop. Mina trouve que c'était le plus beau qu'elle ait jamais vu. Nous avons fait un tour en mer avec et après nous sommes rentrés à la maison parce que papa avait du travail.

— Ton papa a barré le sloop de M. Tanner ?

Connaissant le magnifique navire, Liz était impressionnée.

— Papa sait tout mieux que personne sur les bateaux !

La fierté naïve de l'enfant fit sourire Liz. Elle prit Andy dans ses bras.

— Viens, mon petit diable. Il est temps d'aller au lit.

— Papa m'appelle aussi toujours son petit diable !

Elle se hâta de le déshabiller et l'embrassa tendrement en lui souhaitant une bonne nuit.

De retour dans sa chambre elle put faire le point en toute sérénité. Gary venait de l'assurer de son amour. Il lui demandait de laisser une chance à leur union. Mais quel serait le sens d'un couple qui ne se retrouverait que quelques journées par an ? Pourrais-je vivre dans l'attente de ses lettres et de ses retours fugaces ? Il ne m'aime pas. Il éprouve un désir physique, c'est tout. Je préfère me séparer de lui complètement, conclut-elle fermement.

Cette résolution prise, elle descendit à la cuisine pour aider Edith à préparer le dîner. La vieille gouvernante l'en chassa après que Liz eut jeté un coup d'œil au délicieux gigot qui dorait dans le four :

— Allez vous reposer avec les hommes. Vous pourrez vous mettre à table dans dix minutes.

La pensée de trouver Gary et Craig face à face dans le salon l'inquiéta. Elle s'attendait à devoir intervenir au milieu d'une empoignade. Sa surprise fut d'autant plus grande de découvrir Craig confortablement enfoncé dans le sofa et Gary, serein, devant le feu de bois. Ils s'entretenaient de la passion du jeune homme : les bateaux.

— J'ai du mal à imaginer que Tanner envisage de vendre son sloop, répondait Craig. Vous pensez le lui acheter ?

— J'y pense, admit Gary. Je n'en ai jamais vu d'aussi splendide, mais je me méfie par principe d'un bateau d'occasion, l'apparence peut être trompeuse.

— Il y a un risque certain, approuva Craig doucement.

Gary adressa un rapide sourire à Liz et continua :

— Je ne m'y connais pas assez. Comment pensez-vous que réagirait Tanner si je lui demandais la permission d'emmener quelqu'un à bord pour faire un essai ?

— Pourquoi refuserait-il ? répliqua Craig. S'il a besoin d'argent en ce moment, vous le trouverez dans de bonnes dispositions.

Gary vint apporter à Liz le verre de porto qu'il avait empli à son intention. Elle le remercia d'un sourire.

Elle se demandait ce qu'il pouvait bien avoir en tête, mais n'eut pas à patienter longtemps.

— Si vous avez le temps, Craig, j'aimerais que vous veniez jeter un coup d'œil avec moi.

— Moi ? sursauta-t-il. Je ne vois pas ce que vous pouvez attendre de mon opinion !

— Vous vous êtes fait une solide réputation en ville. J'apprécierais vos conseils.

Craig était loin d'être stupide. Quand on cherchait à le manipuler, il s'en apercevait. Il reconnut aussitôt qu'il avait affaire à un expert en la matière.

Liz devina que son cousin était malgré tout intéressé par la proposition.

— Est-ce la peine que vous fassiez un tel investissement si vous ne comptez pas rester longtemps par ici ? lança le jeune homme après quelque temps de réflexion.

Liz ne bougeait pas un muscle, guettant la moindre hésitation de Gary.

— Si c'était un problème d'argent, je n'aurais

aucun mal à le revendre dans la mesure où c'est une bonne affaire.

— Cela signifie-t-il que vous envisagez de ne pas rester ? insista Craig.

— Cela signifie simplement que, si je l'achetais, je pourrais le revendre aisément.

Liz eut un pincement au cœur. Craig ne pouvait poser sa question plus clairement ni Gary répondre de façon plus évasive.

— Quand voudriez-vous y aller ? demanda Craig.

— Quand vous serez libre. Demain, cela vous irait ?

— D'accord pour demain après-midi, conclut Craig.

On n'utilisait la salle à manger que pour des occasions particulières comme les visites de Roy. Mais, même dans les grandes circonstances, Liz n'avait jamais trouvé la table si joliment mise. Edith avait sorti la porcelaine anglaise et les verres de cristal. Elle avait placé des chandeliers à chaque extrémité de la table, et disposé au centre des fleurs automnales.

— Vous devez vous sentir honoré, Gary, commenta Craig non sans quelque ironie. Roy n'a droit qu'à la porcelaine ordinaire.

Liz fut froissée par son manque de tact, que Gary ne releva pas. Il se contenta de répondre, en avançant la chaise de Liz :

— Il est toujours agréable d'être bien accueilli dans une maison étrangère, même lorsque c'est par la gouvernante.

Edith s'était surpassée. Le festin commença par des huîtres tièdes sur un lit de salade croustillante au vinaigre de xérès. Le gigot fut servi avec des asperges dans une gelée de menthe délicieusement épicée. Après une tarte aux pommes nappée de crème fraîche, le cognac et le café attendaient les convives dans le salon voisin.

Craig se régala visiblement. Liz crut deviner que Gary, comme elle-même, s'efforçait de faire honneur au repas. Il semblait préoccupé, les laissant tous deux meubler poliment la conversation. Le silence régnait dès qu'elle cessait de parler avec son cousin.

Après avoir terminé son verre, Craig se leva :

— Je vais raccompagner Edith. Un peu d'air frais me fera du bien.

Quand Liz et Gary se retrouvèrent seuls, le silence fut encore plus pesant.

— Je me sens fatiguée, Gary. Je vais me coucher. Je vous souhaite une bonne nuit.

— Prenez donc un autre verre, lui suggéra-t-il en faisant un pas vers elle.

— Non, j'aurais peur de ne pas le supporter.

— Alors, allons faire une promenade. Il y a un beau clair de lune et l'air nocturne vous fera du bien.

— Merci. Un autre soir, peut-être.

La voix de Gary l'arrêta sur le seuil de la porte.

— Liz ! Avez-vous au moins pensé à ce que je vous ai dit ? Est-ce trop vous demander, après tout ce temps, que d'essayer un nouveau départ ?

Sans se retourner, de crainte de tomber sous le charme, elle lui lança :

— Vous avez voulu revoir votre fils ? C'est tout ce que je peux vous accorder, Gary. De grâce ne me demandez plus rien.

— Liz ! appela-t-il encore, alors qu'elle était parvenue à mi-chemin de sa chambre.

Elle se hâta de parcourir la distance restante, redoutant qu'il la rattrapât pour lui faire admettre la vérité qu'elle gardait secrètement en son cœur. Elle aurait accédé avec joie à sa prière mais elle se refusait à lui demander de modifier sa vie aventureuse, au nom de la parole qu'elle lui avait jadis donnée.

Au cours des trois jours suivants, Liz rencontra très peu Gary. Il passait son temps avec son fils. Après le dîner il s'enfermait dans le bureau pour y travailler jusqu'à des heures tardives.

Le jeudi, Liz emmena Andy faire une visite de contrôle à l'hôpital. Sur le chemin du retour l'enfant bouillait d'impatience d'apprendre à son père la bonne nouvelle.

A peine entré dans la maison, il fonça directement vers le bureau où il savait que travaillait Gary. Liz le suivit. Elle s'arrêta net sur le seuil quand elle aperçut Jasmina assise derrière une machine à écrire, les oreilles sous le casque du dictaphone. Gary était à son côté, en train de relire une pile de papiers.

— Mina! Papa! Tout va bien! J'ai le droit de sortir faire du bateau avec vous tous les jours! C'est le docteur qui l'a dit!

Gary lui ouvrit les bras et le câlina tendrement.

— Tu endends, Mina? C'est une bien bonne nouvelle, non?

Le regard de Jasmina errait du visage de Liz à celui d'Andy, pour finalement s'arrêter sur Gary.

— Je pense bien, répondit-elle avec un léger sourire. Bon, je crois que je vais emporter à l'hôtel le travail qui me reste à faire.

Gary fut sincèrement surpris.

— Mais c'est idiot, tu as presque fini...

Il s'interrompit à la vue de Liz, toujours sur le seuil du bureau, et reprit :

— Il y a une meilleure solution, Jasmina. Nous allons te laisser seule terminer tranquillement ici.

Il ne dit plus rien avant d'avoir rejoint Liz sur le palier et refermé la porte derrière eux. Il posa Andy à terre.

— Edith est en train de te faire cuire des gâteaux, fiston. Tu devrais aller voir si c'est prêt.

Le garçon ne se le fit pas dire deux fois et fonça dans l'escalier.

— Allons nous promener un peu, Liz, suggéra-t-il dès qu'ils furent seuls.

Saisissant son ciré au passage, il s'effaça devant elle au moment de franchir le portail.

Elle distingua la silhouette de Craig dans le port. Il arpentait de long en large le pont du splendide sloop de Tanner, auquel il semblait porter autant de soins qu'il l'aurait fait à son propre navire.

— Liz, je tiens à vous informer que Craig est parfaitement au courant de la présence de Jasmina. Si elle vient travailler tous les jours, c'est sur la suggestion de votre cousin.

— Je serais très surprise qu'il l'ait faite spontanément.

— Ce genre de décision n'est jamais facile à prendre, rétorqua-t-il. Mais le mérite ne m'en revient pas.

Il continua de descendre vers la côte, les mains enfoncées dans les poches de son ciré.

— J'ai dû contraindre Jasmina à venir retrouver Craig. Bien qu'ils demeurent distants, ils acceptent de s'adresser la parole. Ce miracle aurait été inconcevable si vous aviez été présente pour rappeler à votre cousin de ne pas oublier ses béquilles.

— Que voulez-vous dire au juste ? questionna-t-elle en s'arrêtant net de marcher, le visage blême.

— Aussi longtemps que vous lui tendrez votre bras pour qu'il s'y appuie, il n'apprendra pas à marcher. Il est si facile de laisser maman faire tout à sa place !

— Craig n'est pas un enfant !

— Chaque fois que vous n'êtes pas auprès de lui pour le consoler — pour lui rappeler toutes les horreurs dont il a souffert par la faute de Jasmina — il se met à boire, comme le jour de son arrivée.

Liz était au supplice. Elle serra les poings.

— Vous n'imaginez pas son désespoir quand il a cru qu'il ne marcherait plus jamais. Ni la douleur physique chaque fois qu'il tentait de faire quelques pas pour choir un mètre plus loin !

— Mais il y est parvenu, n'est-ce pas, Liz ? En dépit de votre présence pour le relever il a trouvé le moyen de se redresser un jour tout seul. Pour l'amour du ciel, Liz ! Laissez-le meurtrir sa fierté comme il s'est meurtri les genoux ! Laissez-le conclure un pacte avec Jasmina dans les termes qui lui conviendront et quand il lui semblera bon. Au nom de l'amour que vous lui portez, laissez-le au moins faire cette chose-là tout seul dans sa vie !

Etourdie par les coups que Gary lui portait, Liz réagit en frappant à l'aveuglette.

— Faites sortir cette fille de chez moi ! cria-t-elle comme une folle. Je ne veux plus jamais la revoir ici !

Elle allait s'enfuir quand Gary la happa si brutalement qu'elle vint trébucher contre lui.

— Liz, voulez-vous que Jasmina s'en aille à cause de Craig ou bien parce que vous êtes persuadée qu'il y a quelque chose entre elle et moi ?

Un coup de poignard lui traversa le cœur. Elle se débattit en vain pour tenter d'échapper à la pression de Gary qui la harcelait :

— Dites-le, Liz ! Nom d'un chien, si vous le pensez, dites-le ! Vous me devez la vérité.

— Je ne vous dois rien, Gary. Sortez de ma vie, une fois pour toutes.

— Non ! soupira-t-il en relâchant son étreinte. Non, Liz. Je vous aime. Ne me demandez pas de vous laisser, je vous en supplie.

Les larmes inondèrent le visage de Liz jusqu'à l'aveugler. Elle sentit les lèvres de Gary sur les siennes. Quelque chose explosa en elle, comme si un barrage avait cédé pour laisser échapper le flot de sa fureur nerveuse. Elle s'écarta brusquement et sa main vint cingler la joue de Gary.

Aussitôt elle recula, horrifiée par son acte.

— Oh! je ne voulais pas... murmura-t-elle d'une voix à peine audible. Gary, je suis désolée.

Il tourna les talons et se dirigea vers la maison.

Liz resta figée. Gary avait raison, son refus de la présence de Jasmina avait peu de rapport avec le problème de Craig. Jasmina était une splendide jeune femme, elle venait de travailler trois ans dans l'intimité de Gary. Je suis jalouse, purement et simplement, s'avoua Liz.

La brise fraîche et mordante qui montait de la baie picota ses joues. Elle descendit jusqu'au quai. En arrivant elle vit Craig bondir sur le pont du bateau. Il faisait preuve d'une agilité qu'elle ne lui connaissait plus depuis des années.

— Tiens, qu'est-ce qui t'amène ? demanda-t-il. Tu viens découvrir la surprise ?

Liz ne se demanda pas longtemps à quoi son cousin faisait allusion lorsqu'elle remarqua le nom de « Liz » peint d'une écriture élégante sur le flanc du navire.

Si Gary avait prévu de revendre prochainement le sloop, il ne se serait certainement pas donné le mal de... Mais un bateau peut se repeindre aisément. Ou bien, peut-être pensait-il qu'un si somptueux cadeau la consolerait de son départ...

— Il est splendide, non ? Depuis des années on n'a jamais rien construit de comparable, lança Craig d'un ton enjoué.

Il était heureux, vraiment heureux.

— Tu veux le visiter ? Gary m'a demandé de le retaper de la proue à la poupe. Il n'a pas regardé à la dépense.

— Je... non, pas cette fois-ci...

— Je vois. Tu préfères attendre que Gary t'emmène faire une balade. Il a bien droit à cette primeur.

— Tu as l'air vraiment heureux, Craig ?

Il fut étonné par la question.

— De travailler pour le *Liz* ? Et comment donc ! Comment ne le serais-je pas ?

— Tu éprouvais jusqu'ici un tel ressentiment envers Gary...

Elle s'interrompit en voyant son cousin froncer les sourcils. Ses yeux s'assombrirent et elle se reprocha amèrement sa question.

— Gary me paie pour travailler ici, répliqua-t-il sèchement. Je lui ai bien dit qu'il n'avait pas à le faire, vu ce qu'il avait déjà dépensé pour moi, mais il n'a rien voulu savoir. Les affaires sont les affaires, après tout.

Il se mit à fouiller dans sa boîte à outils, sans plus s'occuper d'elle. Elle allait s'éloigner lorsqu'il demanda :

— Jasmina est encore à la maison ?

Elle se retourna, surprise :

— Oui... Enfin elle y était encore quand je suis sortie. Je crois qu'elle... était sur le point de partir.

Liz s'était efforcée de répondre avec naturel.

— Dis-moi, Craig... sa présence ne te contrarie pas trop ?

— Gary souhaite passer le plus de temps possible auprès d'Andy. Cette solution est la plus commode.

— Alors l'idée était vraiment de toi ?

— Nous évitons de nous rencontrer, admit-il. De toute façon, elle part bientôt.

— Elle te l'a dit ? questionna vivement Liz.

— Gary m'a dit qu'elle prendrait l'avion pour New York demain. Maintenant que son travail est presque terminé, elle va passer quelques jours chez des amis. J'ignore quels sont leurs plans ensuite.

« Leurs plans » ! Liz eut mal d'entendre cette expression. Elle aurait voulu demeurer indifférente

Les mots se figèrent, tandis que le regard de Roy s'arrêtait sur une table peu éloignée, dans un recoin obscur. Ce ne fut pas la longue chevelure dorée de Jasmina Grant qui retint l'attention de Liz. Ses yeux rencontrèrent ceux de Gary. Ils étaient sans doute arrivés depuis quelque temps car leurs verres étaient vides.

Gary se pencha ostensiblement dans sa direction, livrant son visage à la lumière. La colère étincelait dans son regard.

— Nous ferions mieux d'aller leur dire quelque chose, suggéra Roy.

Mais déjà Gary et Jasmina s'éclipsaient. Gary laissa quelques billets sur la table et conduisit Jasmina vers le bar sans même jeter un coup d'œil derrière lui.

— Je suis désolé, Liz, murmura Roy.

— Vous n'y êtes pour rien. Nous nous sommes disputés cet après-midi.

— Jamais je ne lui ai vu une expression semblable ! J'aurais préféré... Venez, je vous ramène chez vous.

— Non, interrompit-elle sèchement. Je ne vois pas pourquoi je devrais avoir honte de me trouver en votre compagnie. En outre, il est avec Jasmina.

Ils s'attablèrent de nouveau.

— Cela ne m'aurait pas contrarié de lui tendre la corde pour qu'il aille se pendre, mais je ne peux pas. A cause de cette fille.

— Je ne vous comprends pas...

Il soupira profondément et se passa la main sur le visage.

— J'aurais dû vous dire la vérité depuis longtemps au sujet de Jasmina. Mais je... j'ai pensé que vous préféreriez ne plus entendre parler d'elle ni de ce qui lui est arrivé.

— Qu'est-ce qui s'est passé ?

— Je ne l'ai su que quelques jours après l'accident. Quand Gary m'a demandé de m'occuper de vous, il m'a dit qu'il avait très peur de ce qui arrivait à sa pupille. Elle était complètement bouleversée. Elle a souffert d'une terrible dépression nerveuse. Elle ne voulait plus revoir Craig, mais elle endossait toute la responsabilité de l'accident. Elle est restée hospitalisée pendant un an. A sa sortie, elle était devenue adulte, sans doute plus vulnérable que jamais.

— C'est alors qu'elle a rejoint Gary ?

— Oui. Il a voulu la garder à ses côtés.

— Il s'est fait beaucoup de souci pour elle ?

— Elle devait avoir dix ans quand Gary a épousé Jennifer. Jasmina était comme une réplique de sa femme en plus jeune : riche, belle et capricieuse.

— Il ne m'a jamais parlé de son ex-femme.

— Il a épousé une héritière gâtée, et elle un homme idéal. Jennifer ne rêvait que de la haute société new-yorkaise, tandis que Gary était appelé en Amérique centrale pour son travail. Quelques mois après, elle demandait le divorce pour épouser un architecte à la mode.

— Qu'est-il advenu de Jasmina ?

— Lorsque la garde de l'adolescente et le contrôle de son héritage ont échu à Gary, Jennifer s'est sentie dépossédée de sa nièce. Des liens s'étaient noués entre elles deux au point que Jasmina se rebella contre l'autorité de Gary. Mais, lors de sa dépression, il fut aux petits soins pour elle, tandis que Jennifer la délaissa totalement. Si Gary ne l'avait pas fait venir auprès de lui, elle se serait retrouvée seule, ne sachant même pas où aller. Elle n'aurait eu aucune chance de s'en sortir sans lui. Soyez persuadée que c'est bien là la seule raison qui lui fasse prendre soin de cette fille. Quand Gary m'a annoncé qu'elle allait venir chez vous, j'étais sur le point de mettre Graig au courant de sa maladie, mais il s'y est opposé.

Des pensées contradictoires assaillaient Liz. Cela expliquait sans doute pourquoi Gary avait opté pour leur mariage par procuration... Mais son silence durant toute cette période demeurait incompréhensible. S'il l'aimait vraiment comme il l'affirmait, pourquoi ne se serait-il pas manifesté autrement lors de la naissance d'Andy ?

— Je vous en prie, Liz, ne soyez pas bouleversée à ce point. Je vous aurais bien dit tout cela plus tôt, mais j'ai cru qu'il ne valait mieux pas.

— Roy, je me rends compte combien je me suis mal conduite envers Jasmina. Gary avait pourtant essayé d'attirer mon attention sur le fait qu'elle n'était plus la même... et qu'elle était très fragile. Je regrette d'avoir refusé de me laisser convaincre.

Liz se prit la tête dans les mains avant d'ajouter :

— Pourvu qu'il ne soit pas trop tard... Que doit-elle penser de moi ?

Chapitre 10

SUR LE CHEMIN DU RETOUR, LIZ ÉTAIT ENCORE TOUTE bouleversée de ce qu'elle venait d'apprendre au sujet de Jasmina. Tandis qu'elle montait se coucher, elle fut arrêtée par un rai de lumière en provenance de la grande chambre du bas. Il ne pouvait que témoigner de la présence de Gary.

Malgré sa fatigue, elle se sentait incapable de s'endormir sans lui avoir fait part du remords qui la hantait à propos de la jeune fille.

Elle frappa à la porte. N'entendant pas de réponse, elle se risqua à pousser le battant : la chambre était vide. Sa gorge se noua. A cet instant la porte claqua derrière elle. Pivotant brusquement, Liz se retrouva face à face avec Gary, les poings enfoncés dans les poches de son peignoir de bain.

— J'ai à vous parler, dit-elle.

Elle ne parvenait pas à maîtriser le tremblement nerveux de sa voix.

Il esquissa un sourire crispé :

— Comme vous tombez bien ! J'avais la même idée. Je vous attendais dans votre chambre... mais nous voici enfin réunis dans la même, comme il convient entre époux à une heure si avancée de la nuit.

— Vous m'en voulez à propos de Roy, avança-t-elle sans ambages.

— Quel don de divination !

— Nous avions beaucoup de choses à nous dire. Je n'ai pas vu l'heure passer.

— Vous espérez me faire croire que vous avez bavardé jusqu'à trois heures du matin ? fit-il d'un ton tranchant.

Liz se raidit en le voyant approcher.

— Dois-je demander votre permission quand je décide de prendre un verre avec un ami ?

— Je ne partage pas ma femme avec un autre homme.

La réponse avait été brutale, véhémente. Autoritaire, il l'attira à lui, la dégagea de son manteau d'un mouvement sec. Elle ne fit aucun effort pour l'en empêcher : il eût bien été capable de le déchirer.

— Pourquoi vous refusez-vous à me croire, Gary ?

Il ne semblait pas l'entendre. Il fit glisser sa robe étroite le long de son corps, plaquant ses mains sur les courbes des hanches de la jeune femme. La fièvre de ses doigts trahissait l'intensité de sa colère.

— Gary, vous aviez dit que vous ne me forceriez...

Elle ne put achever sa phrase ; il avait déjà dégrafé son soutien-gorge.

— Je n'aurai pas à vous forcer, murmura-t-il. Je vous connais aussi bien que moi-même. Vous avez pu vous en rendre compte.

Sa bouche ardente erra sur la peau soyeuse de Liz.

Elle perdit vite toute volonté de le défier.

Elle était maintenant entièrement nue et frémissait sous les baisers dont il la couvrait.

— Cette fois vous ne m'arrêterez pas, Liz.

— Non. Je ne vous arrêterai pas !

— Pourquoi ? J'ai besoin de vous l'entendre dire.

Un spasme parcourut tout le corps de Liz. Elle aurait détourné les yeux si Gary ne lui avait saisi le menton pour la contraindre à le regarder.

— Pourquoi, Liz ? Dites-le ?

— Parce que j'ai envie de vous, lâcha-t-elle dans un souffle.

Liz glissa ses mains sous le peignoir de velours, pressa son corps tout entier contre le sien. Deux bras vigoureux l'étreignirent et la déposèrent sur le lit sans que la bouche de Gary eût un instant quitté la sienne. Une pluie de baisers s'abattit sur son visage et sur sa gorge. Le voile de sa chevelure cuivrée les recouvrait tous deux. Gary écarta tendrement quelques mèches pour faire courir ses lèvres au creux de son cou et derrière son oreille. Un flot de délices parcourait la jeune femme. Aucun homme n'aurait pu éveiller ses désirs avec autant de délicatesse et de fougue à la fois. Avec quelle ardeur son corps répondait aux caresses de Gary !

Jusqu'à quels sommets saurait-il l'entraîner, au-delà de toute imagination ? Liz ne résistait plus. Gary la serra plus fort encore contre lui, redoublant son plaisir.

Il lui semblait survoler la terre, à une distance infinie. Alors, une houle de désirs la submergea ; elle réclama son compagnon de tout son être. C'est à cet instant qu'il articula avec cruauté :

— Dites-moi la vérité, Liz. Avez-vous des relations avec Roy ?

Elle fut parcourue d'un tremblement. Gary, délibérément, avait utilisé l'arme suprême pour lui faire admettre que c'était bien lui qu'elle désirait, et non Roy. Il avait joué le tout pour le tout, quitte à compromettre leur extase.

— Non, répondit-elle d'une voix nouée par l'angoisse.

— Pardon, murmura-t-il conscient de l'immense blessure qu'il venait de provoquer.

Aux premières lueurs de l'aube, Liz s'éveilla dans le grand lit, seule. C'est en vain qu'elle chercha Gary dans l'obscurité. Elle tendit alors l'oreille vers un son étrange, qu'elle connaissait bien. Le cri caractéristique des oies sauvages résonnait au-dessus de la baie.

Elle enfila le peignoir de Gary, visiblement laissé à son intention au pied du lit. Elle s'approcha de la fenêtre juste à temps pour voir les fabuleux oiseaux obscurcir le ciel. Chaque année, c'était le même spectacle, mais Liz ne s'en lassait jamais. Bientôt ces créatures recouvriraient le rivage par centaines de milliers.

Quand elle vit que le *Jessy Bess* avait levé l'ancre, elle comprit que Gary n'avait pas résisté à la tentation de prendre la mer pour les voir de plus près.

— Maman ! Maman ! Regarde le ciel !

Andy avait foncé dans la chambre comme un boulet. Dans son excitation, il ne s'était même pas étonné de trouver sa mère dans une chambre inhabituelle. Il bondit vers le balcon avec une telle force que Liz le reçut dans les bras.

Liz se souvenait d'avoir assisté à ce spectacle bien des fois avec son père. Elle comprenait très bien ce qu'Andy ressentait maintenant qu'il était en âge d'apprécier. Elle était heureuse de partager cette joie avec lui.

— C'est beau, Andy, n'est-ce pas ? Si je ne t'avais pas et si je n'avais pas cette splendide baie de Chesapeake...

— Où est papa ? Pourquoi tu as enfilé son peignoir ?

— Papa est sorti sur le *Jessy Bess*.

— Il avait promis de m'emmener ! Il ne devait pas partir sans moi !

— Mais tu dormais, mon chéri. Ce sera pour une autre fois.

Andy s'échappa de ses bras pour revenir au chaud dans la chambre, où Craig venait d'entrer.

— Je me doutais bien que les oies t'auraient réveillée, Liz. Est-ce que ces misérables oiseaux ignorent le plaisir de faire la grasse matinée ?

Soudain les bras de Craig vinrent encercler la taille de Liz. Il déposa un baiser sur son front.

— Pardonne-moi, j'ai été stupide.

Elle posa la tête contre sa poitrine.

— Ce n'est pas ta faute, Craig. Gary avait essayé de me dire la vérité au sujet de Jasmina, mais... je n'avais pas voulu l'écouter.

— Nous autres, Mallory, avons le don de ne pas entendre quand nous ne le voulons pas, murmura-t-il d'un ton rêveur.

Craig relâcha son étreinte pour gagner le balcon. Son regard se perdit vers le large, en direction du bateau.

— Il m'est venu un tas de choses en tête, cette nuit, ma grande. J'ai l'habitude de déposer une bouteille de whisky sur ma table de nuit pour m'empêcher de trop réfléchir. Mais hier soir... il ne restait plus de whisky.

Il partit d'un grand éclat de rire pour mieux masquer le sérieux de la situation, puis il enchaîna :

— Il est facile de reprocher aux autres ses propres erreurs. C'est ce que j'ai fait jusqu'ici. C'est moi qui suis responsable de l'accident, et pas Jasmina... ou Gary.

Il se retourna vers Liz. Elle put voir dans son expression combien ce simple aveu lui coûtait.

— Jasmina m'a appris ce jour-là l'existence de son tuteur. Quand j'ai su combien il était autoritaire, je me suis douté qu'il ne resterait pas les bras croisés pendant que sa pupille courait le guilledou.

Liz ne tenait pas en place.

— Tu comprends pourquoi je n'avais guère à l'esprit de le remercier quand il a remboursé mes frais médicaux, ou bien... quand il y a eu la suite.

— Quand il m'a épousée ?

— Liz, je tiens à ce que tu saches que, quelle que soit la décision que tu prendras, je te soutiendrai.

Craig n'avait pas eu de mal à tirer une conclusion du vêtement qu'elle portait, d'autant que Liz ne fit rien pour l'en dissuader. Son cousin était enfin venu à bout du ressentiment qu'il éprouvait pour Gary. Il ne restait plus à Liz qu'à en faire autant.

Il lui revint à l'esprit que Jasmina devait partir incessamment pour New York. Si elle voulait la rencontrer, c'était maintenant ou jamais.

Liz fonça en voiture jusqu'à l'hôtel de la Baie où Jasmina était descendue. Une fois dans le hall, elle redouta la manière dont elle serait accueillie. La fermeté de sa décision prit le dessus. Elle frappa à la porte de la jeune fille.

Elle la trouva habillée d'un pantalon de voyage et d'un chemisier à rayures bleues. Revenue de sa surprise, Jasmina réussit à parler :

— Je comptais justement passer vous voir au magasin. Je vous en prie, entrez.

Liz pénétra dans une chambre très simple, bien différente de la luxueuse suite qu'elle s'était attendue à trouver. Les qualificatifs « riche et gâtée » ne semblaient plus devoir lui convenir.

Des valises étaient ouvertes sur le lit.

— Craig vient de me dire que vous partiez aujourd'hui et je n'ai pas voulu risquer de vous manquer.

Jasmina continuait à ranger ses vêtements dans les valises. Elle entra dans le vif du sujet.

— Vous êtes au courant de ma dépression, Liz ? demanda-t-elle avec franchise.

— Roy m'en a parlé hier soir. Je suis désolée, Jasmina. Je crains de ne pas avoir été très chic avec vous après l'accident.

— Pourquoi l'auriez-vous été ? J'étais complètement hors de moi. Si quelqu'un doit s'excuser, c'est bien moi.

Liz humecta ses lèvres.

— Craig m'a dit ce matin qu'il n'en voulait qu'à lui de ce qui s'était passé. Il a mis quatre ans à l'admettre, mais, maintenant qu'il y est parvenu, j'aimerais penser que le temps chassera tous les ressentiments qui peuvent encore nous séparer.

Jasmina crispa ses doigts sur la robe qu'elle était en train de plier.

— Craig est très généreux, mais on ne peut pas lui imputer la responsabilité de l'accident. Il était tout retourné par ce que je venais de lui dire.

— Quoi donc ?

— Je lui avais avoué que j'étais amoureuse d'un autre homme et que je me servais seulement de lui pour... rendre cet homme jaloux.

— Il s'agissait de Gary, je suppose ?

— Gary a toujours été pour moi le centre du monde. Pendant toute ma scolarité, il ne cessait de m'envoyer des dessins et des cadeaux, même une fois séparé de ma tante Jennifer. J'étais persuadée que, lorsqu'il deviendrait mon tuteur, il me prendrait auprès de lui. Mais cela ne se passa pas ainsi, c'est pourquoi je me suis rebellée. J'ai essayé tout ce qui me passait par l'esprit pour le mettre en colère.

— Et c'est là que Craig...

— Il était ma dernière arme. Deux mois avant l'accident je commençai à parler de lui dans mes lettres à Gary, mais il ne semblait pas disposé à croire ce que je lui disais, jusqu'à ce que... jusqu'à ce que nous fassions cette fugue. Je n'ai même pas pensé au mal que cela pourrait causer à Craig.

— Craig ne m'a jamais dit un mot de ce week-end, reconnut Liz.

— J'en ai été sûre le jour où je l'ai revu. Une telle haine ne dure pas quatre ans si on ne la renferme pas dans le secret de son cœur.

— Ou si l'on est amèrement déçu par une personne profondément aimée, compléta Liz.

— Tout cela n'a fait qu'aggraver l'indifférence que Gary manifestait à mon égard. Je n'ai jamais reçu de sa part le plus petit encouragement.

Lit-elle dans mes pensées ? se demanda Liz. Mais Jasmina continua son récit comme si de rien n'était :

— Quand je suis venue travailler auprès de Gary, je me suis rendu compte que je n'avais aucune chance que nos rapports prennent une autre tournure. Son esprit et son cœur ne vous avaient pas quittée un instant. Quand j'ai su qu'il n'y avait pas de place pour moi, je l'ai désormais regardé avec d'autres yeux.

— Revenons à Craig, c'est pour lui que je suis venue, fit remarquer Liz avec délicatesse.

— Je sais, mais je crois qu'il est important que vous soyez au courant de la nature des sentiments qui nous unissent, Gary et moi. Nous sommes intimes comme peuvent l'être deux amis. Pour ce qui concerne Craig, je ferai absolument tout ce qui est en mon pouvoir pour qu'il se remette de la blessure que je lui ai infligée.

Liz sourit. Elle était étrangement soulagée d'avoir entendu Jasmina lui révéler qu'elle n'était plus éprise de Gary. Son cœur était débarrassé d'un lourd fardeau.

— Si vous le souhaitez, Jasmina, je vous aménagerai un entretien avec Craig. Mais il vous faudrait repousser votre voyage de quelques jours.

Jasmina accueillit l'idée avec joie.

Liz s'interrogea tout au long de la journée sur l'opportunité de sa démarche. Avoir invité Jasmina à la maison risquait d'être une gaffe irréparable si, par une de ces sautes d'humeur qui lui étaient coutumières, Craig changeait de sentiment à son égard.

Liz se reprocha aussitôt un tel comportement. Elle était une fois encore en train de protéger son cousin en cherchant à prévenir une éventuelle mésaventure. Quand se ferait-elle à l'idée que Craig était un adulte, capable d'assumer ses rapports avec Jasmina ?

Quand elle revint chez elle, en fin d'après-midi, elle fut hantée par l'idée qu'il ne fallait plus repousser la discussion de fond avec Gary.

L'éventualité d'une rupture définitive lui fit monter les larmes aux yeux.

Elle reprit sa dignité en franchissant le portail. Une musique émaillée d'éclats de rire provenait du salon. Elle eut la surprise d'y rencontrer les visages familiers de plusieurs propriétaires de bateaux revenus pour le week-end.

Craig se détacha du groupe pour l'accueillir avec un visage radieux.

— Qu'en penses-tu, Liz ? Nous donnons une petite fête !

Liz trouva son cousin soudain rajeuni de plusieurs années.

— Ne me taquine pas ! Qu'est-ce qui se passe ?

Liz sourit à Cynthia Templeton, une artiste dont elle appréciait la compagnie et dont elle exposait souvent les dessins dans son magasin.

— Tu le sais bien, Liz, enchaîna son cousin, on dit toujours que ce serait une excellente idée de se réunir, mais personne ne prend les devants. J'ai donné quelques coups de fil, et voilà !

Liz l'approuva. Craig était, à coup sûr, sur la bonne voie.

— Je suis bien aise de vous trouver d'humeur joyeuse, monsieur Mallory, mais avez-vous pensé à ce que nous mettrions dans les assiettes de nos invités ?

— Aucun problème. La bière et le vin blanc attendent dans la glace. Gary et quelques amis sont partis s'occuper des crabes. En tant qu'hôte, je pense que mon devoir est de rester pour distraire ces dames.

— Bien sûr, approuva Liz. Je ne te retiens pas, je monte me changer.

— Ah ! Tu croiseras peut-être la jeune fille de la maison à la cuisine. Elle apprend à ouvrir les huîtres. J'ai bien peur qu'elle ne devienne jamais une vraie fille de la mer !

Pauvre Jasmina, pensa Liz en enfilant en hâte un jean et un pull souple avant de redescendre à la cuisine. La vue des huîtres rendait la jeune fille quasiment malade.

— Je n'aurai jamais le coup de main, gémissait Jasmina, en rejetant en arrière ses cheveux dorés. Je n'ai jamais été une bonne cuisinière.

— Vous apprendrez, ma chère, vous apprendrez...

Edith rayonnait. Elle adressa un coup d'œil malin à Liz.

— Quelqu'un a vu Andy ? demanda celle-ci.

— Il est avec son papa. Je lui ai donné à dîner. Il est prêt pour aller se coucher, mais je ne pense pas que vous arriviez à le faire obéir sans le gronder un peu.

Liz s'apprêtait à sortir quand Edith ajouta :

— Tenez, emmenez mon apprentie avant qu'elle ne défaille.

Jasmina ne se le fit pas dire deux fois.

— Je vais prendre une douche et me changer, je reviens tout de suite, lança-t-elle en s'éclipsant.

Sur la pelouse, Liz retrouva Andy en compagnie d'une gamine d'environ sept ans qui tentait d'apprendre au garçonnet à jouer au cerceau.

Gary veillait non loin de là. Son regard croisa celui de Liz. Ils ne s'étaient pas revus depuis la nuit précédente et la gêne qui avait alors pesé sur eux persistait.

Liz ressentit un ardent désir de se jeter dans ses bras. Elle comprenait mieux, maintenant, la suspicion qu'il avait à l'égard de Roy : jusqu'à sa rencontre avec Jasmina, ce matin, elle avait éprouvé les mêmes craintes. Mais Liz ne pouvait s'abandonner. Pas avant d'être certaine qu'elle était prête à respecter la promesse jadis faite à Gary.

A moins qu'elle ne rompît maintenant pour de bon...

Brusquement, la voix d'Andy interrompit le cours de ses pensées :

— Moi, je peux aller sur le bateau de papa quand je veux !

L'enfant, les poings sur les hanches, défiait sa petite camarade du regard.

— Ça va, Andy, tu n'es qu'un bébé, déclara la gamine. Les bébés n'ont pas le droit de faire ce qu'ils veulent.

— Répète ! Je vais te montrer si je suis...

— Ça suffit, Andy, coupa Gary, qui l'avait rejoint. Si tu ne te tiens pas bien, tu n'auras pas le droit de rester. Maintenant, allez jouer tous les deux, et ne vous chamaillez plus !

Les enfants partis, Liz et Gary demeurèrent seuls face à face. Il avait beaucoup d'allure dans sa chemise de velours bleu ciel, dont les manches retroussées découvraient ses avant-bras. Son jean moulait avec élégance ses hanches souples et ses jambes musclées. Il produira donc toujours ce

132

même effet sur moi, se dit-elle. D'autres hommes séduisants traverseraient peut-être sa vie, mais aucun ne pourrait l'attirer ainsi. Il était le seul qui pût compter dans son cœur, lui qui ne serait jamais totalement à elle...

— Il fait plus froid que je ne pensais, dit-elle pour excuser le frisson qui la parcourait.

— C'est curieux, j'étais en train de me dire que l'air s'était réchauffé !

Un sourire éclairait son visage. Il fit un pas vers elle avant de reprendre la parole :

— Jasmina m'a dit que vous l'aviez invitée à passer quelques jours ici. Merci, Liz. Je ne pourrais vous dire ce que cela me fait.

Elle baissa les paupières. La gratitude était bien la dernière chose qu'elle attendait de lui.

— Vous m'avez convaincue de laisser Craig mener sa vie comme bon lui semblerait avec Jasmina.

Il prit la main de la jeune femme dans la sienne et réchauffa ses doigts tremblants.

— Ma chérie, je sais que ce n'est ni le lieu ni l'heure, mais je veux que vous sachiez combien je suis désolé pour...

Il s'interrompit, et Liz sentit la main de Gary se contracter sur la sienne. Il reprit, sarcastique :

— Tiens, il tombe à propos.

Liz se retourna pour découvrir Roy qui, un peu à l'écart, les regardait sans doute depuis quelque temps.

— « A propos » ? Qu'entendez-vous par là ? demanda-t-elle.

Avant que Gary pût répondre, Cynthia Templeton fit irruption.

— Comme je suis heureuse de vous revoir, Liz ! Cela fait un bout de temps que nous n'avons pas eu la chance de bavarder ensemble !

— En effet. Je vous présente mon mari. Gary, voici...

— Mais nous sommes de vieilles connaissances, interrompit Cynthia. Gary et moi avons beaucoup d'amis communs à Washington. Ce n'est pas moi qui vous apprendrai que votre mari fréquente les milieux politiques les plus éminents.

— Non, je ne...

Liz préféra ravaler ses mots, de crainte de révéler à cette femme qu'elle connaissait mieux son mari qu'elle-même.

— Cynthia exagère, enchaîna Gary. Quoi qu'il en soit, je n'aime pas ennuyer Liz avec mes soucis de travail. Nous avons des choses plus importantes à nous dire.

— Vous vous voyez si rarement que vous préférez sans doute des conversations plus agréables, n'est-ce pas ?

Liz sentit le rouge lui monter aux joues.

— Je vous avais toujours promis une promenade en bateau, Cynthia. Pendant que ma femme fait le tour des invités, je vous propose d'en profiter.

Liz alla rejoindre Roy qui s'était assis un peu plus loin avec une canette de bière.

— Bonjour, Roy. Quelle surprise !

— Comment cela, une surprise ? J'étais invité ! Il ne vous l'a pas dit ?

Liz fut interloquée d'apprendre que Gary avait invité Roy après ce qui s'était passé la nuit précédente.

— Non. Il aurait pu me mettre au courant.

— Je n'étais pas sûr que vous soyez à la boutique aujourd'hui. J'ai appelé ici pour les papiers que je ne vous ai toujours pas fait signer. Il a proposé que je vienne à votre réception et que je les apporte.

Qu'est-ce que Gary pouvait avoir en tête en invitant Roy ? se demanda-t-elle. Et pourtant il avait semblé bien contrarié en l'apercevant tout à l'heure.

— Liz, vous n'êtes pas fâchée, j'espère ?

— Mais non, voyons. Je trouve seulement étrange que Gary vous invite juste après m'avoir accusée de sortir de vos bras.

— Mais je n'ai pas dit...

— Maman ! Maman ! Maman ! pleurait Andy à fendre l'âme.

Il vint jeter ses petits bras autour des jambes de sa mère. Les larmes ruisselaient sur son visage. Il hoquetait convulsivement quand elle le prit contre elle.

— Mon chéri, qu'y a-t-il ?

— C'est papa ! Il m'a donné la fessée !

L'enfant hurlait avec une telle force que Liz craignit qu'il s'étouffât.

Avant qu'elle fût parvenue à le calmer suffisamment pour comprendre ce qui s'était passé, Gary les rejoignit et lui prit le gamin des bras.

— Gary ! Vous lui avez fait une de ces peurs !

— Ç'aurait été bien pire si je n'étais pas arrivé à temps. Il venait de défaire les amarres du bateau et s'apprêtait à sauter dedans !

Liz frissonna rétrospectivement. Elle suivit Gary, qui emportait le petit vers la maison. Il le déposa sans cérémonie au pied de son lit.

— Maintenant, enfile ton pyjama et couche-toi.

Sa voix était sèche, mais contrôlée.

— Tu avais promis de m'emmener, papa ! osa répliquer le gamin, peu accoutumé à se heurter à une autorité paternelle.

— Tu ne le mérites pas. Tu n'as pas été sage et tu dois être puni.

Gary déshabilla son fils tout en continuant à lui faire la leçon :

— Tant que tu ne me promettras pas de ne jamais recommencer une bêtise pareille, tu n'auras pas le droit d'approcher du quai. Si tu y retournes sans permission, tu recevras une nouvelle fessée.

Andy, sanglotant, se glissa hors des bras de son père et lui jeta un regard.

— Je te hais, papa, hoqueta-t-il. Je veux que tu t'en ailles et que tu ne reviennes jamais plus.

On crut que le gamin, pris de spasmes violents qui inquiétèrent Gary, allait se rendre malade. Liz savait par expérience qu'un bon bain était la seule solution.

Tandis qu'elle le plongeait dans la baignoire, Gary, silencieux dans l'encadrement de la porte, regardait son enfant d'un œil attendri et inquiet.

— Mon Dieu, si j'avais su...

— Ça ira, assura-t-elle. Allez retrouver les invités. Je le mets au lit et je vous rejoins.

Enfin, le petit garçon redevint suffisamment calme pour qu'elle le laisse, non sans l'avoir embrassé tendrement en le bordant.

— Bonne nuit, mon petit Andy. Je t'aime.

— Est-ce que papa m'aime encore ?

— Mais bien sûr, mon chéri. Les papas ne cessent pas d'aimer leurs enfants dès qu'ils font une bêtise.

— Il ne... partira pas, n'est-ce pas ?

La question noua la gorge de Liz. Elle se dit que le moment était peut-être venu de lui révéler la vérité. Elle lui posa la main sur le front.

— Je vais demander à papa qu'il reste ici pour vivre avec nous, articula Andy d'une petite voix que le sommeil alourdissait. Tu crois pas qu'il serait d'accord ?

Liz n'eut ni le cœur ni la force d'essayer de lui faire comprendre pourquoi il vaudrait mieux qu'il n'adresse pas cette demande à son père.

Après s'être assurée que son fils dormait profondément, elle redescendit l'escalier où elle croisa Craig et Jasmina.

— Tout va bien, Liz ? lui demanda son cousin.

Liz, épuisée, ne remarqua pas la joie qui éclairait leurs visages.

— Oui, Andy est remis. J'espère que la leçon lui servira, ajouta-t-elle en levant les yeux au ciel.

— Gary a la mort dans l'âme, Liz, fit remarquer Jasmina. Vous pourriez peut-être aller le voir ?

Il était à côté de Roy au pied d'un chêne, visiblement préoccupé, mais pas nécessairement pour son fils. La tension entre les deux hommes était sensible.

— J'irai plus tard.

Liz eut conscience de sa lâcheté. S'il y avait un éclat entre eux, elle n'aurait pas le courage de s'interposer.

— Le bouillon de crabe embaume, n'est-ce pas ? lança-t-elle.

Craig avait également remarqué le face à face entre Gary et Roy. Etrangement, le spectacle ne semblait pas lui déplaire. On aurait même dit que la mise en scène était de lui.

— Je me sens soudain affamé, moi aussi, enchaîna-t-il. Pas toi, Jasmina ? Si nous ouvrions la fête ?

Inconsciente de l'orage qui planait dans l'air, elle accéda à sa demande :

— Montrons le chemin !

Chapitre 11

DANS L'HEURE QUI SUIVIT, LIZ CONVERSA AVEC SES INVITÉS, glissant d'un sujet à l'autre avec l'aisance d'une maîtresse de maison chevronnée. L'ambiance cordiale l'aida pour beaucoup dans cette tâche, mais c'était surtout un moyen d'éviter un face-à-face avec Roy. Depuis son entretien avec Gary, il manifestait une anxiété inhabituelle. Elle n'avait aucune envie de discuter avec lui ce soir.

Elle était très absorbée par un débat passionné sur les films récemment sortis en ville lorsque son regard fut attiré par Gary et Cynthia Templeton. Assis à l'autre bout du living, près de la cheminée, ils devisaient avec une animation joyeuse.

Pourquoi serais-je jalouse ? se demanda-t-elle en se servant un verre de vin. Gary est le genre d'homme à attirer la compagnie des jolies femmes. Je ne vais tout de même pas me tourmenter constamment à son propos !

— Tout va bien ?

Gary venait de se glisser derrière elle pour la

138

surprendre dans ses méditations. Liz pivota si brusquement sur elle-même qu'elle faillit trébucher. Il tendit la main pour la soutenir, mais elle le rejeta d'un geste sec. Le visage de Gary se crispa.

— Qu'est-ce qui vous tracasse, ma chérie ? Les délicates attentions que vous porte Roy ne suffisentelles pas à vous enivrer ?

Elle prit une gorgée de vin. Si Gary avait été aussi observateur qu'il le prétendait, il aurait remarqué qu'elle n'en était qu'à son second verre depuis le dîner.

— Gary, pourquoi l'avez-vous invité ?

Elle avait enfin osé poser la question qui la hantait depuis près de deux heures. Elle guetta sa réaction.

— Mais je ne l'ai pas invité ! J'étais persuadé que c'était vous qui l'aviez fait !

— Moi ? s'étonna-t-elle. Roy m'a dit qu'il avait appelé cet après-midi et que vous...

Elle se souvint alors de l'expression amusée de Craig tandis qu'il observait la confrontation entre Roy et Gary.

Cette ruse était bien digne de son cousin : mettre les candidats face à face pour voir lequel l'emporterait. Instinctivement elle se douta que les faveurs de Craig allaient à Gary. Cette manœuvre est sans doute destinée à aider mon choix, pensa-t-elle. Comme si j'en avais besoin !

Gary lui prit le verre des mains et le vida d'un trait.

— Les goûts de Craig en matière de vins laissent à désirer.

Il était parvenu à la faire sourire. Il s'approcha d'un pas avant de poursuivre :

— Roy pensait qu'il était de son devoir de s'expliquer sur votre rencontre d'hier soir. Liz, je n'aime pas la façon dont il a présenté les choses. Il veut divorcer à l'amiable mais Olivia sait qu'il y a une autre femme dans le paysage, et elle sera exigeante !

Liz l'interrompit avec lassitude.

— Je vous ai répété mille fois qu'il n'y avait rien entre nous ! Vous avez sans doute mal interprété ce qu'il vous a dit.

— Il a suggéré que nous divorcions discrètement. C'est clair, non ? Ce qu'il recherche est double : divorcer aux moindres frais, puis vous épouser !

— Et que lui avez-vous dit ?

Roy était allé trop loin. Elle le sonderait le moment venu, mais pour l'instant seul lui importait le comportement de Gary.

— Rien, répondit-il après un long moment. Ce problème ne concerne que vous et moi. Hier soir j'avais envie de vous comme un fou. J'ai laissé ma jalousie maladive gâcher un superbe moment de notre amour. Si j'avais su attendre, j'aurais compris spontanément que vous n'aviez pas eu de liaison avec Roy... ni avec aucun homme depuis quatre ans. Vous devez savoir, que, de mon côté, je n'ai jamais eu de liaison avec Jasmina ni avec aucune autre femme depuis que nous nous sommes connus.

— Comment aurais-je pu le savoir ?

— De la même façon que je l'ai appris moi-même, ma chérie. Parce que je vous aime. Je n'ai jamais oublié la créature passionnée d'il y a quatre ans. Vous êtes venue à la vie dans mes bras, Liz. Vous vous êtes totalement révélée à vous-même cette nuit-là. Vous êtes devenue une femme consciente de ses désirs. Vous m'êtes restée fidèle pour une seule raison : vous m'aimez, Liz, comme je vous aime moi-même.

Elle ne parvenait plus à contrôler sa respiration. Le seul moyen d'y parvenir était de s'éloigner de Gary. Sa présence l'envoûtait, sa voix l'appelait comme le chant d'une sirène. Elle ne pourrait dorénavant plus se détacher de lui. Elle se rendait aux commandements de son cœur et oubliait ceux de sa raison.

Il lui fallut toute sa volonté pour ne pas s'enfuir en courant, sous les yeux des invités. Elle fit quelques pas et aperçut Jasmina et Roy en conversation. La jeune fille semblait mal à l'aise. Liz se joignit à eux, dans l'intention de lui porter secours.

— Vos projets sont plutôt vagues, Jasmina, disait Roy. Je suppose que vous repartirez en même temps que Gary.

— Cela dépendra de lui, répliqua-t-elle, pour déjouer ses manœuvres.

Jasmina lança un bref coup d'œil dans la direction de Liz. Roy insistait maladroitement :

— Il a été tellement évasif... Je pensais que sa secrétaire pourrait m'éclairer sur ses intentions.

— Il n'est pas plus dans mes attributions que dans les vôtres de me mêler de sa vie privée. Maintenant, Roy, si vous êtes aussi curieux, allez donc lui demander vous-même ses projets !

Roy resta seul, à couver sa déconvenue un bon moment encore après le départ de la jeune fille. Liz vint lui prendre le bras.

— Je vous raccompagne jusqu'à votre voiture ? proposa-t-elle.

— Cette fille est aussi rusée que lui, marmonna-t-il en bouillant de rage dès qu'ils eurent franchi la porte.

— Pourquoi vous entêtez-vous ? Gary ne vous livrera jamais ses plans avant l'heure.

— Liz, il n'a pas le droit de vous laisser ainsi dans le doute.

— Rentrez chez vous et passez une bonne nuit. Nous réglerons nos paperasses demain.

— Je me sentirai tout de même mieux quand il sera parti !

Liz regarda la voiture s'éloigner. La dernière

phrase de Roy résonna dans sa tête longtemps encore après qu'elle fut revenue à la maison. Elle accepta volontiers la proposition de Jasmina et de Craig de ranger la table pendant qu'elle irait se doucher. Elle prit tout son temps pour se sécher les cheveux, car elle savait qu'elle ne pourrait s'endormir de sitôt, obsédée par l'image de Gary.

Elle était prête à rompre définitivement. Mais qu'est-ce que cela changerait ? Elle ne cesserait pas soudain de l'aimer sous prétexte qu'il n'était plus son mari.

Un rai de lumière filtrait sous la porte de la chambre de Gary. Elle s'y dirigea comme elle l'avait fait la nuit précédente. Cette fois elle ne frappa pas avant d'entrer.

La pièce était encore vide, mais on entendait couler l'eau dans la salle de bains. Elle éteignit les lumières avant de franchir la porte-fenêtre qui donnait sur le balcon. Peut-être la brise nocturne lui éclaircirait-elle les idées. Même si je commets là une faute irréparable, se dit-elle, il est trop tard pour que je ressorte de cette chambre.

La porte de la salle de bains s'ouvrit. Dans l'encadrement, la silhouette de Gary se détacha en contre-jour. Il fut un instant surpris par l'obscurité, puis bondit vers la fenêtre entrouverte.

— Liz, pour l'amour du ciel, que faites-vous dehors ?

Il entoura les épaules de la jeune femme.

— Mais vous êtes glacée ! Rentrez tout de suite.

Il referma au plus vite la fenêtre. Avant qu'il ait eu le temps de revenir vers elle, Liz se jeta dans ses bras.

— Ne dites pas un mot, Gary. Aimez-moi, c'est tout.

— Liz, murmura-t-il en soupirant contre son épaisse chevelure tandis que ses doigts glissaient

142

sur le peignoir de soie, réchauffez-vous contre moi, ma chérie.

Gary fléchit la tête avec une infinie douceur. Sa bouche vint caresser celle de Liz, puis le baiser se fit plus ardent.

— Je vous aime tant, répétait-il en effleurant son visage.

— Gary, je vous aime. Je vous ai toujours aimé, même lorsque je m'en défendais désespérément.

Le peignoir glissa de ses épaules. Elle portait une chemise de nuit en dentelle.

— Je vous conseille de la retirer avant que je ne la déchire.

— Je ne vous en voudrais pas, plaisanta-t-elle en la faisant passer par-dessus sa tête.

— Je vous en achèterai des centaines, mon amour.

Gary admirait éperdument le corps splendide de la jeune femme. Il sculpta de ses mains la chair satinée.

— A la réflexion, je ne vous achèterai rien. Rien ne doit s'interposer entre nous, pas le moindre morceau de tissu, plaisanta-t-il.

— Alors, débarrassez-vous de cette chose, répliqua-t-elle avec un sourire malicieux en désignant la ceinture du peignoir de Gary.

Entièrement nu, il s'offrit à son regard émerveillé.

— Vous ne mettez jamais rien pour dormir, mon chéri ?

Elle vint se coller à lui.

— Jamais. Lorsque j'ai froid, il me suffit de penser à vous.

Un baiser fiévreux les enchaîna à nouveau l'un à l'autre. Liz noua étroitement ses bras autour du cou de Gary. Elle luttait contre les larmes, émue par sa déclaration. Elle eût voulu garder chacun de ses mots en son cœur.

Elle posa sa bouche dans le creux de sa gorge.

— Emmenez-moi au lit, Gary. Serrez-moi très fort.

Il la déposa sur les draps avec une infinie lenteur comme s'il tenait à retarder, pour mieux en jouir, leur ultime instant de bonheur. Il s'allongea à ses côtés et tira doucement les couvertures sur eux. Liz, débordante de tendresse, vint se lover dans ses bras.

— Vous avez habité tous mes rêves, ma chérie. Vous ne saurez jamais combien de nuits vous m'êtes apparue comme je vous vois ce soir, offerte tout entière à mon amour.

— Comme lors de notre première rencontre ?

— Ce sera encore plus sublime, mon amour. Infiniment plus.

Liz se redressa sur un coude et promena ses yeux sur ce corps puissant dont elle aussi avait souvent rêvé. La salle de bains était restée allumée. Dans la pénombre, Gary semblait une sculpture grecque. Sa présence n'était plus une chimère. Ses mains pouvaient maintenant le toucher tout à loisir.

— Encore plus sublime ? J'espère que vous êtes sûr de vous, mon chéri. Je n'apprécierais pas que vous ne teniez pas vos promesses, plaisanta-t-elle, pour cacher son émoi.

— Je m'y engage. Nous mettrons le plus intense de nous-même dans cette nouvelle rencontre. Nous nous aimons trop pour qu'il en soit autrement. Trop longtemps, mon amour. Cela fait trop longtemps que je vous ai attendue. Notre plaisir la nuit dernière, nous l'avons pris sans le donner. Ce n'est pas ce qui se passera ce soir.

Gary maîtrisait merveilleusement la lenteur des caresses qui alimentaient le feu en elle. Ce torrent de lave dans ses veines, Liz ne l'avait plus ressenti depuis leur première nuit d'amour. Leur soif mutuelle s'était accrue au cours de la séparation. S'il avait fallu que Gary reparte sans qu'une nouvelle nuit inoubliable les eût unis, elle n'aurait pu survivre à leur seconde séparation.

La passion bouillonnait en elle comme au creux d'un gigantesque cratère. Gary semblait s'engouffrer dans cette fournaise au fur et à mesure que ses lèvres, ses mains, exploraient la douceur de son corps. Il laissa échapper un gémissement de plaisir. Le bonheur étourdit Liz lorsqu'elle sentit Gary épouser le plus profond de son corps et de son âme.

Son cœur cognait à tout rompre. Le rythme s'intensifia au point de lui faire perdre le contrôle de ses pensées et de ses cris. Elle ne cherchait plus à savoir si elle donnait du plaisir ou en recevait. Elle était devenue partie intégrante de Gary. Leurs corps s'enlaçaient si fort qu'ils ne formaient plus qu'une seule et même vie.

— Soyons inséparables, mon amour, murmura-t-il passionnément. Soyons ensemble en tout.

Les mots venaient frapper Liz aussi fort que les martèlements de son cœur. La plus sublime des extases la transperça comme la foudre.

La voix douce et envoûtante de son compagnon lui murmurait des mots d'amour qui la bouleversèrent. Un tourbillon de tendres paroles vint la cueillir au ciel pour la faire redescendre dans l'ouate moelleuse d'un nuage de printemps.

— Vous êtes à moi, mon amour. Entièrement, totalement à moi, murmurait Gary en la recevant dans le berceau de ses bras.

— J'ai toujours été à vous, mon chéri. Je n'aurais pas supporté que nous nous séparions.

Gary lui embrassa la tempe et ramena les couvertures sur eux.

— Ai-je tenu parole, Liz ?

Ils gisaient côte à côte presque inanimés.

— Oui, Gary. Mais qu'est-ce qui m'assure qu'il en sera toujours ainsi ?

Gary l'étreignit à nouveau avec un sourire amusé :

— Vous voulez un contrat d'assurance, ma chérie ? Nous le signerons demain.

Chapitre 12

EN S'ÉVEILLANT LE LENDEMAIN MATIN, LIZ AURAIT VOLON-
tiers oublié que le samedi était jour d'affluence à la
boutique. Mais il lui suffit de remarquer qu'elle
était à nouveau seule dans le grand lit pour perdre
toute envie de paresser.

Une fois montée dans la salle de bains, elle mit fin
à sa somnolence sous le jet d'eau brûlant de la
douche, en faisant le point sur la journée qui
l'attendait. Il devenait indispensable d'affronter le
départ imminent de Gary et de préparer Andy à le
supporter tant bien que mal. Le dimanche qui allait
suivre aurait quelque chose d'exceptionnel. Ils se
feraient une petite fête pour eux trois. Enfin, ils
pourraient parler avec franchise de l'avenir, en
dépit du chagrin de la séparation.

En passant, Liz ne put s'empêcher de jeter un
coup d'œil dans la chambre de Jasmina. Elle aperçut la jeune fille en train de rassembler ses bagages.
Ses yeux étaient gonflés de larmes.

— Quelque chose ne va pas, Jasmina ?

— Je dois partir pour New York aujourd'hui.

147

Elle éclata subitement en sanglots.

— Je n'aurais jamais dû venir. Je ne sais pas quel miracle j'ai cru pouvoir accomplir.

— Je suis désolée, Jasmina. C'était peut-être trop tôt. Craig a vécu si longtemps dans l'amertume. Il vous aimait trop profondément. Je pensais pourtant que quand vous lui parleriez de... votre état après l'accident...

— Je ne lui ai rien dit, interrompit Jasmina sans oser relever les yeux. Je pensais le pouvoir hier soir, mais les mots m'ont manqué. Vous voyez, Liz, j'ai compris à ce moment-là que, si je ne me retenais pas, je tomberais amoureuse de lui. Mais je ne suis pour lui qu'un terrain d'expérience. J'ai peur de ce qui se passerait si je ne partais pas tout de suite.

Liz s'appuya contre le chambranle de la porte.

— Avez-vous informé Gary ?

— Il est sorti si tôt ce matin que je n'en ai pas trouvé l'occasion. J'essaierai de le joindre à Washington.

— Il est parti pour Washington ce matin ?

— Oui, répondit Jasmina d'un air gêné. Il ne vous l'a pas dit ? Oh ! Sans doute préférait-il attendre d'avoir pris toutes ses dispositions. Certaines démarches nécessitaient sa présence là-bas.

— Evidemment. Et puis il a probablement hâte de reprendre son travail.

Puisqu'elle serait bientôt seule, se dit Liz, elle pourrait enfin donner libre cours à ses larmes. Dans l'immédiat, il fallait se contenir encore un peu et tenter de faire parler Jasmina :

— Vous irez le rejoindre ?

La jeune fille ne put répondre. Elle venait d'apercevoir Craig derrière Liz. Avait-il entendu leur conversation ?

— Tu ne m'avais pas parlé de ton départ ? attaqua-t-il sans ambages.

Jasmina était de plus en plus mal à l'aise. Liz s'écarta pour laisser entrer son cousin.

— Je... n'avais pas cru utile de le faire, bredouilla-t-elle.

— Je t'en prie, Jasmina, supplia Craig, ne t'en va pas. J'ai tout entendu. Je te jure que tu es pour moi bien autre chose qu'un terrain d'expérience. Reste, s'il te plaît. Nous sommes faits pour nous comprendre si nous l'essayons vraiment.

Liz n'en écouta pas davantage. Elle descendit prendre son petit déjeuner avec Edith et Andy. La gouvernante lui demanda la permission d'inviter le garçon à l'anniversaire de son petit-fils, pour la journée. Liz accepta avec joie puis rejoignit son magasin.

Peu après dix heures, Roy apparut. Il pénétra droit dans le bureau, écartant Sally qui se trouvait sur son passage.

— Sois gentille de nous laisser, Sally, lui dit Liz, calmement.

La vendeuse avait lu une telle colère dans les yeux du nouvel arrivant qu'elle redouta que sa patronne eût besoin d'elle. Avec un regard noir pour l'intrus, elle assura à Liz qu'elle se tenait non loin de là, dans la boutique.

— Vous pensez peut-être que je vais vous tuer ? attaqua-t-il.

Liz se leva de son bureau.

— Vous avez l'air plutôt furieux, Roy.

— Vous trouvez qu'il n'y a pas de quoi ? Votre mari a fait une descente à mon cabinet ce matin à la première heure. Après tout ce que nous avons traversé ensemble, Liz, ne pensez-vous pas que vous auriez pu me parler vous-même ?

— Excusez-moi, mais je ne savais pas qu'il vous rendrait visite ce matin.

Il recula d'un pas comme pour mieux reconsidérer l'opportunité de son accusation.

— Alors ce n'est pas vrai, Liz ? Vous n'avez pas passé la nuit ensemble ?

Liz fut interloquée par l'audace de la question :

— Quoi ? Il vous a dit ça ?

— Oui. Peut-être pas en ces mots, mais le message était limpide. Il n'a pas l'intention de vous laisser divorcer.

— Mais je ne l'ai jamais demandé, Roy !

— Vous n'allez pas vous plier au genre de vie qu'il vous offre. Vous ne l'avez épousé que pour votre fils !

Liz se raidit. Les raisons pour lesquelles elle avait choisi de se marier il y a trois ans ne regardaient qu'elle.

— Je crois que je ne vous comprendrai jamais, Roy. Mais j'apprécie beaucoup votre amitié et je ne voudrais pas la perdre. Je suis certaine que Gary pense de même. Vous étiez deux amis de longue date, non ?

— C'est pourquoi il m'a annoncé qu'il n'avait plus besoin de mes services et que je n'avais plus qu'à aller au diable !

— Quoi ? s'écria Liz.

— Il a également demandé à examiner le dossier que j'avais constitué sur vous.

Liz, bien entendu, n'en ignorait pas l'existence, mais elle ne comprenait pas pourquoi Gary voulait y accéder. Comptait-il remplacer Roy par quelqu'un d'autre ?

— Vous le lui avez montré ?

— Il aurait retourné mon bureau sens dessus dessous pour le trouver. Dieu seul sait ce qu'il cherchait, mais maintenant il le détient. Comme il vous détient vous-même.

— Il est mon mari, Roy. Même si nous devons vivre de longs mois séparés, il nous arrivera toujours de partager des moments comme ceux que nous avons connus ces jours-ci.

Roy baissa les yeux.

— Je me suis rendu ridicule.

— Non, assura-t-elle en lui prenant les mains. Vous m'avez aidée à traverser les périodes les plus noires de ma vie et je ne vous en remercierai jamais assez. Je vous aime trop pour penser que nous ne pourrions pas être tout simplement les meilleurs amis du monde.

Roy resta un long moment sans rien dire. Soudain sa main lâcha celle de Liz pour plonger dans la poche de sa veste. Il en ressortit une enveloppe. Liz y déchiffra son propre nom. Mais l'enveloppe était ouverte.

— J'ai eu le temps de la retirer du dossier avant qu'il ne la trouve. Je suis conscient d'avoir fait une faute grave en ne vous la transmettant pas à l'époque. Mais peut-être me pardonnerez-vous si vous arrivez à vous rappeler le ressentiment que vous portiez alors à Gary.

Roy la quitta.

Assise à son bureau, elle déplia la lettre.

« Ma chère Liz,

« Je viens de voir notre enfant pour la première fois et je ne puis dire ce que cette image a éveillé en moi. Je désire tant revenir, ma chérie, partager ma vie avec vous et vous dire combien je vous aime. Roy m'a expliqué à quel point ces derniers mois vous avaient été pénibles. Craig venant juste de sortir de l'hôpital, ma présence serait peut-être délicate pour chacun de vous. Mon emploi du temps n'est toujours pas en notre faveur, mais le jour viendra où je pourrai enfin être de retour, où nous pourrons commencer notre vie commune sans que rien s'interpose entre nous. En attendant, je garde en mon cœur l'image de notre bébé, comme je conserve gravé en moi le souvenir de la nuit que nous avons partagée.

« Pour toujours, votre
« Gary. »

Les yeux de Liz restèrent rivés sur la lettre, noyés de larmes. Une colère folle contre Roy l'envahit. Mais cette lettre lui prouvait sans ambiguïté combien elle s'était trompée au sujet de son mari.

— Je rentre à la maison, Sally. Vous pourrez vous débrouiller toute seule ?

— Bien sûr, assura la jeune fille en posant sa main sur son bras. Tout va bien ?

Liz la tranquillisa et s'empressa de quitter la boutique dans l'espoir d'arriver chez elle avant Gary. Elle était certaine qu'il repasserait, ne serait-ce que pour lui dire au revoir.

La maison était vide. Edith déjà partie avec Andy et Craig était sorti naviguer sur le *Jessy Bess*.

Elle gagna le quai pour grimper sur le sloop qu'elle examina tranquillement, commençant à comprendre pourquoi Gary avait fait cet achat. Instinctivement, elle se prit à imaginer les merveilleuses promenades en mer qu'ils pourraient y faire tous deux.

Des pas se firent entendre sur le pont. Elle sortit de la cabine juste comme Gary se préparait à y pénétrer. Il l'accueillit avec un sourire radieux.

— Je vous ai ratée de peu au magasin.

— Vous avez eu une matinée bien remplie, murmura-t-elle en venant se lover contre sa poitrine.

Quand ils furent sur le quai, chacun passa son bras autour de la taille de son compagnon. Ils se dirigèrent vers la maison.

— J'ai eu à régler beaucoup d'affaires, ma chérie. Je tenais à terminer assez tôt pour vous emmener déjeuner.

— Eh bien, déjeunons à la maison, elle est pour nous seuls aujourd'hui.

Gary l'interrompit et la prit dans ses bras.

— Je n'ai pas faim, lui glissa-t-il à l'oreille.

— Vous n'avez pas de chance, plaisanta Liz. Moi, j'ai une faim de loup !

Gary approcha ses lèvres jusqu'à caresser celles de la jeune femme :

— Eh bien, mangeons au lit !

Liz fut séduite par l'idée. Sur la table de la cuisine elle trouva un mot griffonné par Craig : « J'ai emmené Jasmina à la cabane pour quelques jours. Nous avons besoin de temps afin de régler nos comptes. »

Gary rit à gorge déployée en lisant le papier que lui avait tendu Liz.

— Cette cabane a un étrange pouvoir. Il faudrait avoir un cœur de pierre pour y rester insensible. Je reconnais y avoir mené un rude combat.

— Le regrettez-vous, mon chéri ?

— Jamais de la vie, mon amour. Mais peut-être le devrais-je, sachant combien vous avez souffert depuis. Liz, vous m'avez dit hier soir que vous m'aimiez depuis le premier jour ; pourquoi alors ne me l'avez-vous jamais fait savoir ? Pendant toutes ces années je me suis imaginé que vous me haïssiez. J'aurais tant voulu être à vos côtés. Avez-vous pensé combien il pouvait être pénible de me dire que vous m'épousiez uniquement pour Andy et que vous regrettiez ce qui fut la plus belle nuit de ma vie ?

— Comment aurais-je pu croire que vous vous préoccupiez de moi et d'Andy ? Roy m'a apporté votre lettre il y a une heure à peine.

Liz sortit l'enveloppe de sa poche. A sa vue la colère de Gary enfla au point qu'il se mit à hurler :

— Le bandit ! Je vais le tuer !

— Calmez-vous, Gary. Ce serait injuste. Il a cru sans doute bien faire.

153

Gary se passa la main dans les cheveux.

— Et maintenant, Liz, puis-je accorder crédit à ce que vous m'avez déclaré hier soir ? Que vous étiez venue à moi simplement parce que vous m'aimiez ?

— Oui, soupira-t-elle. Quelle autre raison voudriez-vous que j'aie ? Oh ! Gary, regardez-moi ! Dites-moi alors pourquoi je me serais donnée à vous ?

Les yeux de Gary plongèrent au plus profond des siens.

— Vous vous disiez pourtant que j'allais bientôt vous quitter, n'est-ce pas ? Et que vous ne me verriez que quelques jours par an ?

— Puisque tel est votre désir... murmura-t-elle en ravalant ses larmes.

— C'est ce que vous souhaitez pour de bon ? Vous voulez que je reste loin de vous des mois et des mois ?

— Non, gémit-elle en lui jetant les bras autour du cou. Non, mon chéri, la seule pensée de votre départ me fait trop mal.

Gary appuya ses lèvres brûlantes sur les joues de la jeune femme trempées par les larmes.

— Je veux que la demande vienne de vous, Liz. Dites-le, mon amour. Dites que vous ne voulez pas me voir partir.

— J'ai promis que je ne vous demanderais jamais plus que ce que vous pouviez donner, mais j'ai depuis quelques jours beaucoup de mal à respecter cette promesse. De tout mon cœur je veux que vous restiez, mon chéri. Mais si cela vous est impossible, sachez qu'il n'y aura jamais un autre homme dans ma vie. Gary, trouvez le moyen de rester avec nous.

— J'ai prévu de vous emmener ce soir chez les Hames. J'étais allé dîner chez eux le premier jour où vous êtes restée à l'hôpital avec Andy. Depuis ce matin Ted est officiellement mon nouvel associé. Mon cabinet sera à Washington, ce qui m'obligera à y demeurer toute la semaine. Je vous rejoindrai chaque week-end. Trouveriez-vous cela insupportable ?

La joie dansa dans les yeux de Liz.

— Je regretterai qu'il nous faille être séparés tout au long de la semaine. Mais mes obligations professionnelles me retiennent aussi à mon magasin.

— Vous voyez que les compromis ont du bon, Liz !

— Comme celui de déjeuner au lit ? J'ai l'impression que vos compromis ne sont guère équitables.

— Liz, mon amour, que pouvez-vous attendre d'un homme qui vous aime sans partage ?

Le visage de Gary rayonna d'un sourire qu'elle ne lui avait encore jamais vu. Ses yeux étincelaient de bonheur. Tous les malentendus étaient enfin dissipés. Désormais, ils en étaient certains, aucun obstacle ne viendrait ruiner leur bonheur.

NINA COOMBS

Le charme du cavalier

Fine, jolie, presque fragile, Maggie Ryan n'a
rien de l'excellent vétérinaire qu'elle est pourtant.

Voilà pourquoi Bart Dutton, l'impérieux
propriétaire du ranch Rocking D, doute qu'elle
puisse remplir sa fonction auprès des chevaux.
Or Maggie est énergique, compétente, et décidée
à exercer son métier. Qu'importe l'hostilité de Bart
et celle de sa trop belle amie Laina.
Maggie ne veut pas penser au trouble qui,
malgré elle, envahit son cœur.

Série Coup de foudre

JOAN WOLF

Jamais je ne t'oublierai

Oui, elle est belle, Mary O'Connor, avec son teint
d'Irlandaise et ses grands yeux verts. Mais ce qui
compte pour elle dans la vie, c'est son métier
de professeur à l'université. On l'admire et
on la respecte.

Comment aurait-elle pu prévoir la tempête
soudaine qui déferle sur sa calme existence?
Cet ouragan s'appelle Christopher Douglas.
C'est l'acteur le plus beau, le plus séduisant,
célèbre entre tous.

Son irruption dans la vie de Mary fait basculer
d'un seul coup les certitudes de la jeune femme.
D'autant que Christopher n'est pas un inconnu.
Elle et lui partagent même un secret, un lourd
secret...

Série Coup de foudre

LESLIE MORGAN

Baisers de soie

Quand Alexandra Howard accepte de travailler
comme monteuse au film de Ian Fletcher, elle sait
ce qui l'attend. Tout le monde l'a prévenue:
Ian est plein de talent, capricieux, charmeur,
et les femmes ne lui résistent pas.

Peu importe. Elle saura garder la tête froide.
Du moins en est-elle persuadée jusqu'au moment
où il l'invite dans sa superbe maison de Londres.
Le cœur d'Alexandra s'emballe, elle éprouve des
sentiments qu'elle n'avait encore jamais connus.

Hélas! La douleur est proche. Ian n'est-il pas
un séducteur, pour qui toutes les femmes
se valent? Sur quelle pente dangereuse Alexandra
est-elle en train de glisser?

Série Coup de foudre

Achevé d'imprimer sur les presses de l'Imprimerie Bussière
à Saint-Amand-Montrond (Cher)
le 24 mai 1985. ISBN : 2-277-82006-7.
Nº 1139. Dépôt légal mai 1985. Imprimé en France

Collections Duo
27, rue Cassette   75006 Paris
diffusion France et étranger : Flammarion

Coup de foudre